OWAIN GLYN DŴR

TRWY RAS DUW, TYWYSOG CYMRU

OWAIN GLYN DŴR

TRWY RAS DUW, TYWYSOG CYMRU

R. R. DAVIES

y Lolfa

Argraffiad cyntaf: 2002
Ail argraffiad: 2011
Hawlfraint © R R Davies a'r Lolfa Cyf., 2002

Diolch i CADW am luniau cestyll Coety, Cydweli a Chonwy. Diolch
i Amgueddfa Genedlaethol Cymru am gopi o sêl fawr Owain Glyn
Dŵr ac i Ymddiriedolaeth Archeolegol Clwyd-Powys am gael
atgynhyrchu'r llun o Sycharth (84-13-16)

Dymuna'r cyhoeddwyr gydnabod cymorth ariannol
Cyngor Llyfrau Cymru

Cynllun y clawr: Y Lolfa

ISBN: 0 86243 625 7

Cyhoeddwyd ac argraffwyd yng Nghymru gan
Y Lolfa Cyf., Talybont, Ceredigion SY24 5HE
gwefan www.ylolfa.com
e-bost ylolfa@ylolfa.com
ffôn 01970 832 304
ffacs 832 782

Cynnwys

TABLAU A MAPIAU

LLUNIAU

Rhagair

Bu'n fwriad gennyf ers amser i fynd ati i ysgrifennu llyfr byr yn Gymraeg am Owain Glyn Dŵr, ond i Lefi Gruffudd o Wasg y Lolfa (a chyn-ddisgybl i mi yng Ngholeg Aberystwyth) y mae'r clod am fy sbarduno i gyflawni fy mwriad o'r diwedd. Llyfr hanes yw hwn – er os oes un pwnc sy'n destun priodol i sawl nofel yn y Gymraeg, yna hanes Owain a'i ryfel yw hwnnw. Ond er mai llyfr gan hanesydd yw hwn, ceisiais ei ysgrifennu mewn dull a fyddai o fewn cyrraedd y darllenydd cyffredin. Bydd yn rhaid i eraill benderfynu a lwyddais ai peidio. Os ydych am ymdriniaeth academig lawn ar yrfa Owain, nid oes – ac ni fydd – hafal i fywgraffiad Syr John Edward Lloyd, *Owen Glendower* (Rhydychen, 1931). Fe geisiais innau gynnig fy nehongliad o'r cyfnod yn *The Revolt of Owain Glyn Dŵr* (Rhydychen, 1995, a bellach yn ei ail argraffiad clawr papur). Yn y gyfrol honno y ceir y cyfeiriadau a'r dystiolaeth gyfoes y seiliwyd y gyfrol bresennol arni.

Cefais y fraint o gael fy ngeni a'm magu ym mro Glyn Dŵr. Ar ryw ystyr rhyw ad-daliad bychan iawn am y cynhysgaeth a dderbyniais yn y fro arbennig honno yw'r gyfrol hon. Priodol felly yw i mi gyflwyno'r gyfrol i goffadwriaeth un arall o fechgyn y fro a fu'n gyfaill i mi gydol ei oes, Gareth Evans (Cynwyd, Caerfyrddin ac Aberystwyth).

Rees Davies
2002

Pennod 1
Sycharth

Mac ein stori'n dechrau yn y flwyddyn 1395 yn Sycharth, ym mhlwyf Llansilin ym Mhowys, rhyw saith milltir go dda o dref Croesoswallt. Yn ôl safonau'r dydd roedd Sycharth yn un o dai mwyaf ysblennydd gogledd-ddwyrain Cymru. Fe gydnabu'r Saeson a'i dinistriodd ei fod yn 'well-built house', ond bychan o ganmoliaeth oedd hynny o'i gymharu â disgrifiad y bardd, Iolo Goch, ohono. Ni allai unrhyw arwerthwr tai heddiw ragori ar ddisgrifiad Iolo o'r tŷ, nac, yn wir, y darlun delfrydol y mae'n ei gynnig! 'Tŷ pren glân mewn top bryn glas' oedd Sycharth, wedi ei amgylchynu â ffos, a phont yn mynd drosti at ei borth. O fewn ei libart roedd cyfres o ystafelloedd, rhai yn cang gyhoeddus ac eraill yn breifat glyd; ar ei do roedd y teils diweddaraf ac o'i ganol codai simnai fawr 'ni fagai fwg'. Ond nid dyna'r cyfan. O gwmpas y plasty moethus hwn roedd popeth ar gael at angen dyn a'i deulu: colomendy, llyn pysgod lle gellid dal penhwyaid (*pike*) a gwyniaid, perllan, gwinllan, melin a pharc ceirw, ac ar ben hynny ffarm lewyrchus lle codid cnydau a lle gwelid gweision, meirch ac erydr yn gweithio'n ddiwyd. Ac i goroni popeth, ac i lonni calon bardd fel Iolo Goch, roedd yno groeso cynnes a digonedd o gwrw da Amwythig.

Dichon fod Iolo Goch, a oedd bellach yn tynnu tua diwedd ei oes faith, wedi delfrydu cryn dipyn yn ei ddisgrifiad o Sycharth. Nid oes dim yn fwy tebyg o blesio perchen tŷ na chanmol ei chwaeth a'i groeso! Serch hynny,

Sycharth. Ar y domen hon y safai llys Owain, 'tŷ pren glân mewn top bryn glas', fel y cyferir ato gan Iolo Goch.

nid oes lle i amau nad oedd Sycharth, yn ôl safonau'r cyfnod, yn dŷ – yn wir yn blasty – arbennig. Dim ond gŵr cyffordds ei fyd a allai fforddio'r fath dŷ a'i gynllunio a'i ehangu yn ôl y ffasiwn ddiweddaraf. A'r gŵr hwnnw oedd Owain ap Gruffudd Fychan ap Gruffudd, *alias* Owain Glyn Dŵr. Gadewch i ni felly fynd i'w gyfarfod.

Nid dyn ifanc mohono. Mae'n debyg ei fod tua deugain oed. Roedd blynyddoedd anturiaeth a chrwydro bellach yn y gorffennol, a chyfrifoldebau teulu, tŷ ac ystadau'n cael blaenoriaeth yn ei fywyd. Blynyddoedd o fwynhau ei lwyddiant a'i statws ac o ddiogelu ei ddyfodol oedd o'i flaen. Sut ŵr oedd ef, felly?

Y man cychwyn i ateb y cwestiwn hwnnw ym marn cyfoeswyr fyddai gyda'i dras, ei ach. Dyma oedd y llinyn mesur pwysicaf. Ac roedd tras Owain yn un odidog. Nid

Llinach Owain Glyn Dŵr

Teulu Powys

Teulu Deheubarth

Teulu Powys	Teulu Deheubarth
Bleddyn ap Cynfyn (m.1075)	Rhys ap Tewdwr (m.1093)
Maredudd (m.1132)	Gruffudd (m.1137)
Madog (m.1160)	Yr Arglwydd Rhys (m.1197)
Gruffudd Maelor (m.1191)	Gruffudd (m.1201)
Madog (m.1236)	Owain (m.1235)
Gruffudd Maelor (m.1269)	Maredudd (m.1265)
Gruffudd Fychan (m.1289)	Owain (m.1275)
Madog (m.?1304)	Llywelyn (m.1308)
Gruffudd	Tomos (m.1343/4)
Gruffudd Fychan (m. erbyn1340)	Elen

Owain Glyn Dŵr

🌾

Mae'r llinach yn dangos mai Owain oedd etifedd uniongyrchol teuluoedd
tywysogol Powys a Deheubarth.

oedd yn rhaid gwenieithu na thwyllo wrth adrodd ach Owain, oherwydd hi oedd yr odidocaf yng Nghymru ei ddydd. Gallai olrhain ei dras yn Sycharth a Phowys yn ôl dros y canrifoedd yn ddi-dor at Fleddyn ap Cynfyn, tywysog Powys (bu farw 1075). Ar ochr ei fam, Elen, rhedai ei ach yr un mor ddi-dor dros y cenedlaethau drwy arwyr mawr y gorffennol megis yr Arglwydd Rhys (m.1197) nes cyrraedd Rhys ap Tewdwr (m.1093), a ystyrid yn sylfaenydd llinach dywysogol y Deheubarth. Rhedai gwaed dwy o dair prif linach tywysogion Cymru, felly, drwy wythiennau Owain.

A beth am y drydedd linach, sef llinach tywysogion Gwynedd, y llinach a ddaeth agosaf at wireddu'r freuddwyd o Gymru unedig ac annibynnol tan gwymp Llywelyn ap Gruffudd ym 1282? Nid oedd hawl Owain cystal o bell ffordd yn y cyfeiriad hwn. Ond yma eto roedd dwy ffactor o blaid Owain. Yn gyntaf gallai honni fod ei hen-nain, Gwenllïan, yn un o ddisgynyddion Gruffudd ap Cynan, tywysog Gwynedd (m.1137) – cysylltiad digon pell ac anuniongyrchol yn ein tyb ni efallai, ond un y gallai unrhyw fardd neu achyddwr ei chwyddo'n hawdd. Yn ail, a llawer pwysicach, oedd y ffaith ddiymwad fod disgynnydd gwryw olaf llinach Gwynedd wedi marw ym 1378. Ei enw oedd Owain Lawgoch, gŵr a honnai mai ef oedd gwir dywysog Cymru. Ac nid marw a wnaeth Owain Lawgoch ym 1378 yn gymaint â chael ei lofruddio drwy dwyll ym mherfeddion de-orllewin Ffrainc gan ysbïwr o Sais a gomisiynwyd gan lywodraeth Lloegr i'w ladd. Dichon fod Owain Glyn Dŵr wedi cael ei fagu ar chwedlau am gampau Owain Lawgoch ac am y cynllwyn a'r brad a arweiniodd at ei farw. Ar un ystyr roedd llofruddiaeth Owain Lawgoch yn gyfle i Owain Glyn Dŵr, oherwydd nid oedd neb bellach yng Nghymru â'r hawl cyffelyb iddo

Cysylltiadau Teuluol a Phriodasol Owain Glyn Dŵr

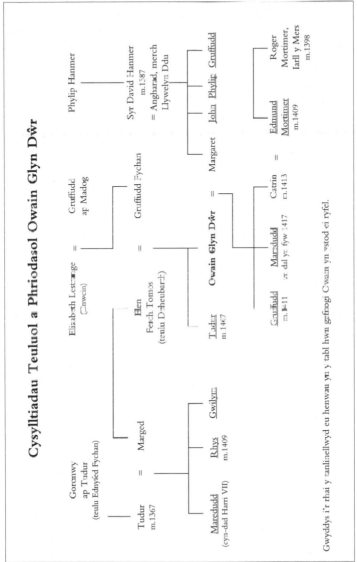

Gwyddys i'r rhai y tanlinellwyd eu henwau yn y tabl hwn gefnogi Owain yn ystod ei ryfel.

ef i'w ystyried ei hun yn wir ddisgynnydd yr hen dywysogion Cymreig. Ar y llaw arall, gellid ystyried mai ar Owain Glyn Dŵr y syrthiai'r baich o fynnu dial am lofruddiaeth Owain Lawgoch ac adfer y freuddwyd o dywysog brodorol Cymreig unwaith eto yng Nghymru.

Ym 1395 nid oedd gronyn o awgrym fod Owain Glyn Dŵr am wneud dim o'r fath. Byddai'r beirdd yn falch o wneud môr a mynydd o achau Owain wrth ei gyfarch ar gywydd, ond nid oedd lle i gredu fod ei ach yn golygu mwy iddo na thestun tipyn o frolio diniwed. Yn y presennol yr oedd Owain yn byw bellach ac edrychai'r presennol hwnnw'n ddigon cyffordddus a derbyniol ar y cyfan. Pe gofynnid iddo fwrw golwg yn ôl dros ei fywyd hyd 1395, hawdd fyddai iddo ddethol rhai o'r prif ddigwyddiadau.

Fe gofiai fel y collodd ei dad yn fachgen ifanc a chael ei adael yng ngofal ei fam, gwraig â Chymraeg y de ar ei gwefusau. Bu Iarll Arwndel – un o brif ieirll Lloegr ei ddydd ac arglwydd y Waun a Chroesoswallt a Maelor Gymraeg – yn garedig wrth ei fam yn ystod ei chyfnod fel gwraig weddw, a pha ryfedd hynny o gofio fod tad Owain wedi bod yn ei dro yn un o swyddogion yr Iarll. Roedd gan Owain le i gredu y byddai yntau hefyd yn ei dro yn debyg o elwa o gefnogaeth a nawdd teulu Fitzalan, ieirll Arwndel.

Yn ystod blynyddoedd ei ieuenctid gwnaeth un cysylltiad tyngedfennol a liwiodd weddill ei oes: treuliodd gyfnod, o bosib fel plentyn maeth, ar aelwyd Dafydd Hanmer ym Maelor Saesneg, yn ardal Bangor Is-coed. Teulu o dras Seisnig yn troi yng nghylchoedd Seisnig sir Gaer a sir Amwythig oedd yr Hanmeriaid. Nid oedd dim newydd yn y gyfathrach hon rhwng Cymry a Saeson yn hanes Glyn Dŵr. Wedi'r cwbl, Elisabeth Lestrange o'r

Cnwcin (Knockin) yn sir Amwythig oedd cnw ci nain. Ac nid y Cymry'n unig oedd yn dod o dan ddylanwad y Saeson. Roedd Saeson y Gororau hwythau wedi dysgu cyd-fyw â'r Cymry, dysgu eu hiaith a dewis cymar priodas o'u plith. Dyna oedd wedi digwydd i Dafydd Hanmer, y gŵr a gymerodd yr Owain Glyn Dŵr ifanc o dan ei gronglwyd. Enw gwraig Dafydd oedd Angharad, merch Llywelyn Ddu o'r Waun. Byddai'r Gymraeg a'r Saesneg fel ei gilydd i'w clywed ar aelwyd Dafydd Hanmer, a'r beirdd yn galw yno yn eu tro.

Ond roedd ochr arall i gymeriad Dafydd Hanmer. Roedd Syr David Hanmer – oherwydd felly y gelwid ef gan y Saeson – yn un o brif gyfreithwyr a gweinyddwyr ei ddydd, dyn yr oedd sawl un o brif arglwyddi Lloegr yn talu'n ddrud am ei gyngor cyfreithiol. Aeth ei yrfa o nerth i nerth ac fe'i penodwyd yn un o ustusiaid llys y brenin. Chwaraeodd ei ran yn senedd Lloegr yn Llundain ac fe ymddiriedwyd sawl comisiwn o bwys iddo gan y brenin yng Nghymru. 'Ustus a meddianus mawr' oedd teyrnged y bardd iddo. Dyma ŵr a agorai lygaid Owain Glyn Dŵr i fyd cwbl wahanol – i gylchoedd cyfforddus ysgweiriaid gorllewin Lloegr, i grefft ac apêl cyfraith gyffredin Lloegr, ac i fyd gwleidyddiaeth gwerylgar Lloegr ei ddydd. Byd gwahanol iawn i'r byd y magwyd Owain ynddo yn Sycharth a Glyndyfrdwy. Dichon mai ar gyngor Dafydd Hanmer yr anfonwyd Owain am gyfnod o brentisiaeth i'r ysgolion cyfraith yn Llundain, gan roi cyfle arall iddo ehangu ei orwelion.

Ond y fendith fwyaf a gafodd o'i gyfnod gyda'r Hanmeriaid oedd mai yno y datblygodd gyfeillgarwch clòs â meibion Syr Dafydd – Gruffudd, John a Philip. Bu Owain yn driw iawn iddynt pan fu farw eu tad ym 1387; ond llawer mwy, a llawer mwy costus, oedd eu teyrngarwch hwy yn eu tro i Owain pan lansiodd ei fenter fawr ym 1400. Ond pwysicach na chyfeillgarwch y brodyr hyd yn oed oedd calon eu chwaer, Margaret, neu 'Mared ferch Dafydd' fel yr ymddengys mewn llythyr gan y Pab. Rhywdro yn y 1370au fe briododd Owain a Mared. Nid oes lle i amau na fu'n briodas eithriadol hapus. Cafodd Marred y ganmoliaeth uchaf y gellid ei thalu i wraig gan Iolo Goch: hi oedd 'y wraig orau o'r gwragedd'. Teyrnasai fel brenhines dros ei haelwyd newydd yn Sycharth, yn fam i nythaid o blant braf. Rhwng Mared a'r plant roedd gan Owain bob rheswm yn y byd ym 1395 i fod uwchben ei ddigon ac i edrych ymlaen at flynyddoedd hamddenol-gyfforddus canol oed.

Dyma'r adeg i edrych yn ôl yn ymffrostgar a hiraethus dros ei gampau fel marchog ifanc. Bod yn farchog oedd uchelgais pob gŵr ifanc o bwys yn oes Glyn Dŵr. Dyna'r ffordd i ennill bri ac o bosib ffortiwn, a dyna'r ffordd i ddringo i ffafr brenin ac arglwydd. Ond nid ar chwarae bach yr oedd dod yn farchog. Ni wnâi unrhyw hen geffyl na chaseg y tro. Rhaid oedd cael march rhyfel cryf, heini; dyna'r gost gyntaf. Yna rhaid oedd pwrcasu, neu etifeddu, y lifrai a'r arfau priodol. Mae Iolo Goch yn rhestru rhai ohonynt yn un o'i gywyddau i Owain: 'siaced dew', 'rhest' (sef y teclyn lle gorffwysai'r waywffon), 'helm wen... ac yn ei phen adain rudd (*goch*) o edau yr Aifft'. A llawer mwy ar ben hynny. Rhaid hefyd oedd cael ysgweier i weini ar y marchog yn nhrymlwythder ei arfau ac i'w godi ar ei farch. Ond y buddsoddiad mwyaf oedd y brentisiaeth hir i fod yn farchog. Prentisiaeth ydoedd a ddechreuai mewn plentyndod i ychydig dethol o gefndir cefnog. Un o'r rhain ar ororau Cymru oedd yr Owain Glyn Dŵr ifanc.

Byddai Owain wedi clywed hanesion cynhyrfus rhai o farchogion enwog Cymru genhedlaeth a mwy cyn ei amser ef, gwŷr megis Syr Gruffudd Llwyd, Syr Hywel y Fwyall a Syr Grigor Sais. Dyma ddynion i'w hefelychu, dynion oedd wedi gwneud eu marc ar faes y gad, ac yn sgil hynny wedi codi i fri ac anrhydedd ac i dipyn o ffortiwn. Dyma *pin-up boys* Owain yn ei arddegau. Nid oes lle i amau nad oedd y bardd yn llygad ei le pan honnodd nad oedd dim yn well gan Owain na 'marchogaeth meirch'.

Yr unig beth oedd yn eisiau bellach oedd cyfle i ddangos ei allu. Pe bai'n Sais o fri a chanddo gyfoeth gallasai fod wedi gwneud hynny mewn twrnameint, ond gan mai barwn digon cyffredin o Gymro ydoedd Owain, dim ond mewn rhyfel go iawn yr oedd ganddo'r siawns i arddangos ei ddawn. Hyd y gwyddom, daeth y cyfle iddo deirgwaith o fewn tair blynedd, ac yntau bellach tua deg ar hugain oed.

Ym Mawrth 1384 gadawodd Owain glydwch ei gartref yn Sycharth a'i wraig a'i blant bychain i dreulio cyfnod yn gwarchod Berwig, set Berwick-on-Tweed ar y ffin rhwng Llocgr a'r Alban. Aeth ei frawd Tudur gydag ef, ac roeddent ill dau'n aelodau o garsiwn o tua tri chant o filwyr. Yn lle chwarae soldiwrs a breuddwydio breuddwydion cafodd Owain flas ar fyd go iawn y milwr, ac yn fwy na dim ar y cyfnodau diflas o segura sy'n rhan anorfod ohono. Yr hyn a'i cynhyrfodd yn fwy na dim, mae'n siŵr, oedd ei fod wedi cael cyfle i wasanaethu o dan farchog diarhebol a hwnnw'n Gymro. Gŵr o sir y Fflint oedd Grigor Sais, capten Berwig ym 1384, ond gŵr a oedd wedi ennill bri fel milwr yn Ffrainc a Sbaen, wedi priodi gwraig o Ffrainc ac wedi defnyddio peth o'r ffortiwn a enillodd wrth ryfela i brynu tiroedd yn ôl yng Nghymru. Dyma batrwm i Owain ei efelychu. Efallai y byddai yntau ryw ddydd yn Syr Owain, ac felly'n etifeddu mantell Syr Grigor.

Cam arall tuag at wireddu'r uchelgais hwnnw oedd ymuno â'r fyddin a arweiniodd y brenin Rhisiart II i'r Alban yn ystod haf 1385. Y tro hwn yr oedd Owain yn un o bedwar o'i deulu a benderfynodd ymuno â'r osgordd; roedd ei frawd Tudur yno eto, ond hefyd ei frawd-yng-nghyfraith, John Hanmer, a gŵr ei chwaer, Robert Puleston – gwŷr ifainc yn chwilio am antur a ffortiwn. Nid oes lle i gredu eu bod wedi cael y naill na'r llall. Ond i ddynion oedd yn treulio'r rhan fwyaf o'u hamser yn nhawelwch digynnwrf Powys a'r Gororau roedd her ac antur mewn ymgyrch filwrol. Ac, ar ben hynny, cyfle i weld tipyn ar y byd a chymysgu gyda rhai o enwogion y dydd.

Mae'n amlwg fod Owain wedi cael blas ar y profiad oherwydd pan ddaeth cyfle i wasanaethu ymhellach oddi cartref fe ddaliodd gafael arno ar unwaith ac, o wneud hynny, cafodd un o brofiadau mawr ei fywyd. Yn ystod gwanwyn 1387 ymunodd Owain â gosgordd Iarll Arwndel, un o arglwyddi mwyaf pwerus ei ddydd yn Lloegr a gŵr oedd yn berchen ar dalp helaeth o'r ardal o gwmpas Sycharth. Dyma oedd byddin go iawn, dros 2,500 o wŷr arfog, ac Owain ei hun yn aelod o'r osgordd bwysicaf oll, sef gosgordd bersonol Iarll Arwndel. Ac i goroni popeth enillodd y fyddin hon fuddugoliaeth nodedig ar 24 Mawrth 1387, pan drechwyd ac y dinistriwyd rhan helaeth o'r llynges Ffrengig yn y Sianel a thrwy hynny ddileu'r bygythiad y byddai'r Ffrancwyr yn glanio yn Lloegr.

Hawdd dychmygu gorfoledd Owain. Roedd popeth o'i blaid – cyfeillgarwch iarll mwyaf pwerus ei ddydd a rhan yn un o fuddugoliaethau mwyaf poblogaidd Lloegr yn ystod y rhyfel yn erbyn Ffrainc. Dyma osod seiliau cadarn i yrfa filwrol wirioneddol lwyddiannus. Dichon, cyn bo hir, y byddai yntau'n farchog, yn ail Syr Grigor. Ond nid

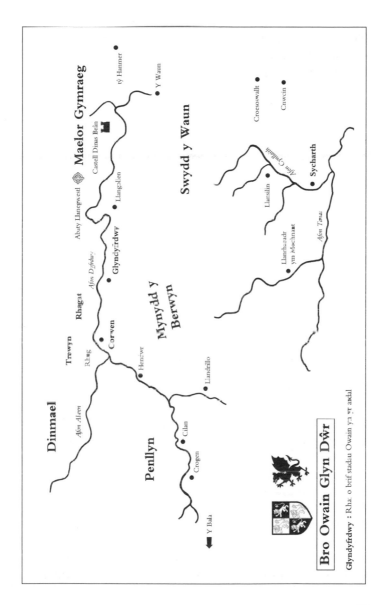

Maelor Gymraeg

Dinmael

Afon Alwen

Penllyn

Y Bala

Crogen

Cilan

Llandrillo

Hendwr

Corwen

Rhug

Trewyn

Rhagat

Afon Dyfrdwy

Glyndyfrdwy

Mynydd y Berwyn

Llangollen

Abaty Llangwest

Castell Dinas Brân

tŷ Hanmer

Y Waun

Swydd y Waun

Croesoswallt

Cnwcin

Sycharth

Afon Cynllaith

Llansilin

Llanrhaeadr ym Mochnant

Afon Tanat

Bro Owain Glyn Dŵr

Glyndyfrdwy : Rhai o brif stadau Owain yn yr ardal

19

felly y bu. Cofrestrodd ei enw i fynd yng ngosgordd Iarll Arwndel ar herw i Ffrainc ym 1388, ond ar y funud olaf tynnodd ei enw yn ôl. Beth oedd y rheswm?

Efallai y teimlai y dylai dreulio mwy o amser yn helpu ei frodyr-yng-nghyfraith wedi marwolaeth eu tad, Syr Dafydd Hanmer, ym 1387. Efallai fod Mared, ei wraig, wedi pwyso arno i aros gartref i roi mwy o sylw i'w blant a'i diroedd. Beth bynnag oedd y rheswm, roedd ei yrfa filwrol, hyd y gwyddom, ar ben. Byddai'n rhaid iddo bellach fyw ar ei atgofion ohoni.

Mewn gwirionedd roedd ganddo fwy na digon i'w gadw'n brysur, os nad yn gwbl ddedwydd, gartref yn Sycharth. Yn ogystal â'r tiroedd o gwmpas Sycharth roedd yn berchen ar ddwy stad sylweddol arall. Y gyntaf oedd ei diroedd ar draws y Berwyn yn ardal Glyndyfrdwy a Chorwen. Roedd Owain wedi penodi stiward a rhingyll i gadw llygad ar y tiroedd hyn, ond byddai ef ei hun hefyd yn dod yno o dro i dro. Wedi'r cwbl, roedd yr ardal yn drwm o atgofion am fawredd cyndeidiau Owain yn y gorffennol. Byddai siwrnai fer o Lyndyfrdwy wedi dod ag ef o fewn golwg adfeilion castell rhyfeddol Dinas Brân, pencadlys y teulu mewn dyddiau a fu. Yn nes na hynny codai adeiladau mawreddog abaty Llanegwestl (Valle Crucis) yn atgof arall o'r gogoniant a fu. Hynafiaid Owain a sefydlodd yr abaty yn agos i ddwy ganrif ynghynt; yno y gorweddai gweddillion rhai ohonynt ac, yn eu plith, o dan un o'r meini cerfiedig harddaf yng ngogledd Cymru, ei hen-daid Madog ap Gruffudd Fychan. Rhwng popeth roedd bro Glyndyfrdwy yn agos at galon Owain. Enw'r fro honno, nid enw Sycharth, a gymerodd fel cyfenw (Owain Glyn Dŵr) a phan ddaeth i benderfyniad pwysicaf ei fywyd – sef cyhoeddi mai ef oedd gwir dywysog Cymru – i Lyndyfrdwy yr aeth i wneud y cyhoeddiad.

Gorweddai stad arall Owain mewn ardal cwbl wahanol. Trwy ei fam daeth yn berchen ar diroedd yn Iscoed a Gwynionydd, dau gwmwd i'r gogledd o afon Teifi yng ngwaelodion Ceredigion. Dichon mai anaml y byddai Owain yn ymweld â'r ardal; roedd yn llawer rhy bell o'i gynefin. Serch hynny, roedd i'r ardal ei phwysigrwydd ei hun yn ei serchiadau a'i gynlluniau. Yno fe'i hadwaenid fel Owain fab Elen yn hytrach nag fel Owain Glyn Dŵr. Trwy ei fam gallai godi pont i gylch newydd o gyfeillion a chydnabod a'i gysylltu ei hun â gogoniant Deheubarth ac â llinach yr Arglwydd Rhys. Nid damwain oedd hi mai rhai o drigolion Iscoed oedd ymhlith y cyntaf yn y De i ymatch i'w alwad pan ddaeth awr yr argyfwng.

Dyn cyfforddus ei fyd oedd Owain, felly, ym 1395. Nid oedd yn gyfoethog iawn yn ôl safonau pendefigaeth Lloegr, ond o'i gymharu â'i gyfeillion o Gymry roedd yn gefnog gyfforddus. A phwy oedd y cyfeilllion hynny, y gwŷr y byddai'n treulio mwy a mwy o amser yn eu cwmni yn awr yr oedd wedi rhoi'r gorau i'w yrfa filwrol? Roedd dau griw ohonynt, criw Sycharth a chriw Glyndyfrdwy. Ymhlith criw Sycharth yr oedd ei deulu-yng-nghyfraith, y brodyr Hanmer, a nifer da o fân ysgweiriaid Maelor Gymraeg, Swydd y Waun a Chroesoswallt ac ambell Sais o orllewin siroedd Caer ac Amwythig. Cwlwm gwaed, priodas a bro oedd yn eu cysylltu â'i gilydd. Er fod y rhan fwyaf ohonynt yn Gymry o ran tras a chefndir roedd eu golygon i ryw raddau wedi eu cyfeirio tuag at drefi Seisnig gorllewin Lloegr – Caer, Amwythig, Croesoswallt – a'r byd mawr y tu hwnt.

Tipyn yn wahanol oedd yr ail griw o gydnabod Owain, sef ysgweiriaid Dinmael, Edeirnion a Phenllyn. Dyma'r cyfeillion y byddai'n ymgomio â hwy pan ymwelai â Glyndyfrdwy. Ardal go arbennig oedd hon yn y Gymru gyfoes. Nid oedd ynddi na chastell na thref Seisnig. Gallech fyw yno heb deimlo fod Cymru'n wlad wedi ei choncro. Os oedd cilfach o'r hen fyd Cymreig brodorol yn aros, dyma hi. Ceiliogod y domen fach anghysbell a diarffordd hon oedd ysgweiriaid Rhug, Hendwr, Crogen, Cilan ac yn y blaen (enwau ffermydd y fro hyd heddiw), sawl un ohonynt yn ddisgynyddion tywysogion Powys. Digon tlawd oedd byd llawer ohonynt a digon cyfyng eu gorwelion. Dyma fro i fagu atgofion a breuddwydion ynddi, ond bro hefyd i fagu siom a chwerwder, yn enwedig yn erbyn y byd bras y tu hwnt iddi. A'r blaenaf o farwniaid y fro – oherwydd dyna'r enw a roddent i'w hunain – oedd Owain Glyn Dŵr.

Mae cylch cyfeillion yn bwysig i bob un ohonom. Barn a sgwrs cyfeillion sydd yn moldio dyheadau a rhagfarnau pob un ohonom; atynt hwy y byddwn yn troi am gyngor; eu gofidiau a'u gobeithion hwy yw fframwaith ein bywyd ninnau hefyd, a phan ddaw'n awr o argyfwng, atynt hwy y byddwn yn troi am gysur a chefnogaeth. Felly yr oedd hi gydag Owain Glyn Dŵr. Pan oedd ei yrfa filwrol yn ei hanterth yn ystod y blynyddoedd 1384–7, dichon y credai y gallai gefnu i ryw raddau ar fydoedd bychain Sycharth a Glyndyfrdwy a chwilio am gyfle, gyrfa a gobeithion ar lwyfan llawer ehangach. Ond nid felly roedd hi bellach. Beth bynnag oedd y rheswm, gŵr ei fro enedigol oedd Owain unwaith eto, ac at ei gyfeillion y byddai'n troi am gwmni a chyngor.

Ar yr wyneb nid oedd rheswm yn y byd i gredu nad oedd yn ŵr dedwydd a bodlon. Ond dichon fod ganddo ormod o amser bellach ar ei ddwylo i hel atgofion a magu breuddwydion a phorthi siom. Siom yn gyntaf. Ar lawer ystyr roedd Owain wedi cael gyrfa ddigon llwyddiannus, ond nid yn gymaint felly ag o bosib y gobeithiai. Yn gyntaf, nid oedd, wedi'r cwbl, wedi cael ei ddyrchafu'n farchog, fel Syr Grigor Sais, na chael y gydnabyddiaeth y credai yr haeddai. Dichon ei fod yn dal i gofio, a hynny gyda chwerwedd yn ei galon, fel yr urddwyd sawl un o'i gydnabod yn farchogion i ddathlu'r fuddugoliaeth fawr yn erbyn llynges Ffrainc ym Mawrth 1387, ond nid oedd ef yn eu plith. Ni chafodd ychwaith swydd o bwys yn ei ardal ei hun; bu ei daid yn un o stiwardiaid Iarll Arwndel ar ororau Cymru ond nid felly Owain. Pam?

A bellach ym 1395 roedd haul ei obeithion yn prysur fachlud dros y gorwel. Os oedd cyfle iddo godi yn y byd, byddai'n rhaid wrth noddwr i agor drysau cyfle iddo. Ond bellach roedd ei noddwr cyntaf, Dafydd Hanmer, wedi marw, ac nid oedd ei feibion yn yr un dosbarth â'u tad o ran llwyddiant a dylanwad. Y gŵr arall a allai fod wedi hyrwyddo gyrfa Owain oedd Iarll Arwndel. O gofio'r cysylltiadau a fu rhwng ieirll Arwndel a hynafiaid Owain, roedd llawer i'w ddisgwyl o'r cyfeiriad hwn, yn arbennig gan fod Owain wedi gwasanaethu yng ngosgordd yr iarll ym 1387. Ond bellach ym 1395 collasai'r iarll lawer o'i ddylanwad. Fe'i hystyrid yn un o brif elynion y brenin ac o fewn dwy flynedd, ym 1397, fe'i harestiwyd a'i ddienyddio gan y brenin, Rhisiart II. Dyna ddrws arall gobeithion Owain Glyn Dŵr wedi cael ei gau'n glep yn ei wyneb. Nid oedd ganddo bellach neb amlwg o bwys i droi ato. Roedd byd Owain wedi crebachu i gylchoedd Powys a Glyndyfrdwy. A phan fo drws y dyfodol yn cau, mae dyn yn aml yn troi am gysur tuag at y gorffennol a'r gogoniant a fu ond nad yw mwyach. Ac yn arbennig felly pan fo'r presennol mor dywyll.

Nid oes gennym sicrwydd pendant fod Owain a'i gyfeillion yn ystyried y presennol yn dywyll, ond mae mwy nag un arwydd nad cwbl ddedwydd mo'u byd. Cofiwn yn gyntaf am y Pla Du, neu yn hytrach y gyfres o blâu a heuodd y fath ddistryw ar draws Ewrop o 1348 ymlaen. Enw'r Cymry ar y Pla oedd y Farwolaeth Fawr. A dyna yn wir ydoedd. Dros gyfnod, cwympodd y boblogaeth o tua thraean. Nid oes rheswm i gredu fod Cymru yn eithriad. Nid yw ffigurau moel yn cyfleu maint y dinistr. Ni fu trychineb cyffelyb iddo yn hanes Ewrop. Cymdeithas oedd yn byw yng nghysgod trawma'r trychineb oedd y byd y magwyd Glyn Dŵr ynddi, cymdeithas wedi ei hysgwyd i'w sylfeini. Mae cymdeithas o'r fath yn byw ar y dibyn.

Arwydd o hynny yw'r danchwa o wrthryfeloedd a phrotestiadau a gynheuwyd ar draws Ewrop o tua 1378. Yr enwocaf ohonynt oedd y Gwrthryfel Mawr, The Peasants' Revolt, a siglodd llywodraeth a chymdeithas Lloegr i'w seiliau yn haf 1381. Nid oedd awdurdod brenin nac arglwydd nac esgob bellach yn ddiogel; roedd si chwyldro a gwrthryfel yn y gwynt. Nid oes raid i ni ddyfalu a oedd y fath argoelion wedi cyrraedd Sycharth. Byddai Glyn Dŵr wedi cael sawl cyfle i glywed am yr helbulon yn Lloegr ac Ewrop. Ond yn fwy na hynny yr oedd un o'r beirdd a alwai yn Sycharth o bryd i'w gilydd wedi darllen arwyddion yr amserau iddo. Ei enw oedd Gruffudd Llwyd.

Roedd Owain wedi clywed mwy na digon o gywyddau mursennaidd yn canmol ei ach arobryn, yn datgan gwychder ei dŷ a'i groeso ac yn moliannu ei wrhydri a'i raslonrwydd. Neges gwbl wahanol oedd gan Gruffudd Llwyd iddo. Jeremeia pruddglwyfus oedd Gruffudd; galarnadu oedd ei gryfder. Beth, felly, oedd ei farn ar y byd oedd ohoni? 'Byd dudrist', hynny yw tywyll a thrist, oedd; byd drwg, lle roedd y cynhaeaf yn methu; byd lle roedd popeth o chwith a'r rhai a ddylai fod yn flaenaf ('bencwd') bellach yn olaf ('tincwd'). Nid oes dim, meddech, yn anarferol yn yr alarnad bruddglwyfus hon;

tuedd yr hen ym mhob cenhedlaeth yw canmol rhyw oes aur a fu, rhywdro, a chondemnio'r presennol.

Ond mae tro yng nghynffon cywydd Gruffudd. Nid y byd yn gyffredinol oedd yn mynd â'i ben iddo, ond byd y Cymry yn benodol. Roedd y Cymry, meddai, fel brain meddw; nid oedd cyfiawnder yn y byd oedd ohoni iddynt. Pwy, felly, a allai eu hachub ac unioni'r cam a ddioddefent? Pwy ond Owain, arglwydd Glyndyfrdwy a Sycharth? Dyma ŵr a allai roi yn ôl i'r Cymry, neu'r Brytaniaid, yr urddas a oedd ganddynt gynt yn nyddiau Brân, brawd Beli ac Arthur. I'r sawl sydd ganddynt glustiau i glywed...

Dichon fod Owain Glyn Dŵr wedi troi clust fyddar i ebychiadau Gruffudd Llwyd. Roedd wedi hen arfer â gormodiaith y beirdd, eu proffwydo tywyll, eu tuedd i lusgo enwau a storïau o gronfeydd pellaf mytholeg y Cymry. Onid oedd ef yn ŵr cyfoes, wedi treulio sbel yn y llysoedd cyfraith yn Llundain, wedi ymladd ochr yn ochr â rhai o brif arglwyddi a marchogion ei ddydd, ac wedi troi yng nghylchoedd dethol cymdeithas Eingl-Gymreig y Gororau? Pa ddefnydd iddo ef oedd brygawthan amlciriog y beirdd?

Ac eto... Dyn a drigai rhwng dau fyd oedd Owain. Fel gŵr ifanc uchelgeisiol, ei obaith oedd cael troedle yn y byd aristocrataidd Seisnig a chael ei wobrwyo'n deilwng – ei ddyrchafu'n farchog, cael pensiwn a rhoddion gan y pwerus, a swydd o bwys. Bellach roedd yn amlwg nad oedd dim o'r rhain am ddod i'w ran. Dyna pryd y byddai apêl yr hen fyd, y byd brodorol Cymreig, yn crafangu ei fron. Ai'r ffaith ei fod yn Gymro a safai rhyngddo a'r llwyddiant y credai yr haeddai? Onid oedd ef o linach tywysogion, gwir dywysogion Cymru? Roedd ei siom bellach wedi esgor ar yr ymdeimlad o gam, a'r cam hwnnw nid yn unig yn un personol ond yn un i'w genedl hefyd.

Ond nid surni a siom yn unig a lywodraethai yng nghalon Owain yn ei lys yn Sycharth. Gall surni a siom arwain at brotest, mae'n wir, ond os yw'r brotest honno i bara mwy nag undydd ac os yw i droi'n chwyldro yna mae angen cael breuddwyd. Ym myd y dychymyg y genir pob gwir chwyldro. Nid oedd rhaid i'r Cymro greu ei freuddwydion ei hun; roedd stoc enfawr ohonynt ar gael ar gof gwlad ac ar wefusau'r beirdd a'r cyfarwyddiaid (sef ceidwaid chwedlau a mytholeg y Cymry). Breuddwydion oeddent yn sôn am adfer teyrnas y Brytaniaid, ailafael yng nghoron Llundain, a disgwyl yn amyneddgar am ymddangosiad y Mab Darogan, rhyw Arthur newydd.

Byddai Owain yn gyfarwydd iawn â'r breuddwydion hyn. Roedd wedi cael ei fagu arnynt ers pan oedd yn blentyn; roedd y beirdd wedi eu hailadrodd wrtho drwodd a thro. Ond hyd yn hyn nid oeddent namyn breuddwydion, rhyw islais llesmeiriol megis yng nghilfachau'r cof. Nid oedd unrhyw argoel ym 1395 y byddai neb mor ffôl â cheisio troi'r breuddwydion hyn yn realiti. Wedi'r cwbl roedd Cymru wedi ei choncro fel gwlad fwy na chanrif yn ôl. Ac er fod y Cymry'n ddi-ddal ac yn bygwth creu trwbl o bryd i'w gilydd, ni fu trafferth na gwrthryfel o bwys ar draws y wlad am ganrif gyfan, sef er 1294–5. Nid oedd rheswm i gredu fod dim o bwys ar fin digwydd, ac nid oedd neb wedi dychmygu am funud fod deunydd arweinydd gwrthryfel yn arglwydd Sycharth a Glyndyfrdwy. Pe byddai Owain ap Gruffudd, Owain Glyn Dŵr, wedi marw ym 1395, prin y byddai'r cof amdano wedi para mwy na chenhedlaeth. Byddai Iolo Goch yn ei henaint wedi canu marwnad iddo, ac efallai y byddai saer maen celfydd wedi cael ei gomisiynu i baratoi beddfaen neu gofadail iddo yn abaty Llanegwestl. Ond nid felly y bu.

Pennod 2
O Lyndyfrdwy i Fryn Glas

Bu 16 Medi 1400 yn ddiwrnod tyngedfennol yn hanes Owain Glyn Dŵr ac, fel y daeth yn amlwg ymhen y rhawg, yn hanes Cymru yn gyffredinol. Ar y diwrnod hwnnw y cyhoeddwyd Owain – neu, efallai, yn fwy cywir y cyhoeddodd Owain ei hun – yn dywysog Cymru. Lle rhyfedd ar y naw ar sawl cyfrif oedd Glyndyfrdwy i fynd ati i wneud y fath gyhoeddiad herfeiddiol, haerllug a chwyldroadol. Dwy fantais oedd ganddo. Roedd yn fan mor ddi-nod a dibwys fel na fyddai unrhyw siryf neu swyddog o Sais wedi cadw llygad ar y lle na sylwi fod torf yn ymgynnull yno. Yr ail fantais oedd fod Owain ar ei domen ei hun yno: ei wrthryfel ef fyddai hwn o'i funud cyntaf.

A phwy oedd yno'n dystion i'r act ryfeddol hon? O gwmpas Owain ei hun ymgasglai rhai o'i deulu agosaf – ei frawd Tudur (a welsom ddiwethaf yng nghwmni Owain yn yr Alban ym 1384–5), ei fab Gruffudd, dau o'i frodyr-yng-nghyfraith (Gruffudd a Philip Hanmer), a gŵr ei chwaer, Robert Puleson. Dyma gylch mewnol teulu Owain; hebddynt hwy ni fyddai Owain wedi cychwyn ar ei siwrnai.

Ond roedd eraill wedi croesi'r Berwyn o Sycharth gydag ef i roi eu cefnogaeth iddo. Yn eu plith roedd amryw o'r 'Criw Sycharth' (fel y gelwais hwy yn y bennod flaenorol) – hen gyfeillion Owain o ogledd-ddwyrain Cymru – megis Ieuan ap Fychan ap Ieuan Gethin o Foeliwrch, nid nepell o Sycharth, neu Madog ab Ieuan ap Madog o Eutun (nid nepell o Wrecsam heddiw). Yn eu plith roedd dau ŵr arbennig iawn, a'u presenoldeb o bwys sylweddol i Owain. Y naill oedd Hywel Cyffin, deon Llanelwy, gŵr o'r un ardal ag Owain. Byddai ei bresenoldeb ef yn tawelu ambell gydwybod ansicr ac yn ernes fod rhai o wŷr blaenllaw yr eglwys hefyd y tu cefn i'r fenter. Y llall oedd dyn yn dwyn yr enw rhyfedd Crach Ffinnant. Gŵr o'r un ardal ag Owain oedd y Crach. Disgrifir ef fel 'proffwyd' y criw a ymgasglodd yng Nglyndyfrdwy. Meistr oedd y Crach ar y broffwydoliaeth – sef y corff o chwedlau a daroganau a oedd yn waddol mor gyfoethog o bwysig i bob gwir Gymro yr oes, yn gwreiddio'r presennol bregus mewn gorffennol gogoneddus ac yn rhag-weld y dydd y byddai'r gogoniant hwnnw'n dychwelyd. Fel y mae gan ein gwleidyddion ni eu 'cynghorwyr arbennig' a'u 'troellwyr proffesiynol' (*spin doctors*) i ddarllen arwyddion yr amserau iddynt, felly hefyd arweinwyr Cymru yn y bedwaredd ganrif ar ddeg. Dyna oedd swyddogaeth y cymeriad brith hwn, Crach Ffinnant.

Dichon fod Owain wedi treulio oriau gyda Crach cyn penderfynu lansio ei brotest ym Medi 1400. Cafodd y ddau lawer sgwrs a thrafodaeth yn y gorffennol. Gwyddom fod Crach wedi mynd gydag Owain i Ferwig ym 1384. Gwyddom hefyd fod Owain yn cymryd 'y broffwydoliaeth' yn gwbl o ddifri. Nid rhyw fympwy ymylol i'w fywyd oedd 'y broffwydoliaeth' – fel y bydd ambell un heddiw yn cael cic ddigon diniwed, a thipyn o sbort, o weld yr hyn mae'r seryddwyr yn ei rag-weld iddynt yn eu colofnau. Na, busnes cwbl ddifrifol oedd 'y broffwydoliaeth' i Owain. Mae'n sôn amdani dro ar ôl tro yn ei lythyrau, ac yn gofyn cyngor hwn a'r llall ar sut y dylid ei dehongli. Hon oedd ei faniffesto gwleidyddol a sail ei obaith y gallai greu byd newydd. Hon hefyd oedd yn cadarnhau mai ef, yn wir, oedd y Mab Darogan, y Gwaredwr hir-ddisgwyliedig a dynghedwyd i wared ei bobl a'i wlad. Dyna pam yr oedd rhaid cael 'ei broffwyd' wrth ei ysgwydd yng Nglyndyfrdwy ar 16 Medi 1400.

Gŵyr o Sycharth a'r cyffiniau, felly, a gymerodd y seti blaen yn y cyfarfod cyhoeddi yng Nglyndyfrdwy. Ond gwŷr – ac ambell ferch fentrus – o gyffiniau Glyndyfrdwy ei hun oedd trwch y dorf. Roedd tua thri chant ohonynt – o Ddinmael, Llandrillo, Llanelidan, Y Bala, Cerrigydrudion, Iâl ac ati. Gwerin bobl yr ardal – Matwyn y pannwr (sef *fuller*) o Glyndyfrdwy, saer a theiliwr o'r un pentre, Dafydd Ddu, sef 'gwas Owain Glyndŵr', Ieuan offeiriad o Gerrigydrudion, a llu o enwau cyffelyb. Deg o'r gwŷr cyffredin hyn a ddedfrydwyd i farwolaeth yn Rhuthun lai na phythefnos yn ddiweddarach ac a ddienyddiwyd yn y fan a'r lle.

Nid ar chwarae bach mae cynnull torf o dros dri chant mewn man fel Glyndyfrdwy a pherswadio rhai o Gymry blaenllaw gororau Cymru i groesi'r Berwyn i fod yn y seremoni. Beth, felly, oedd wedi eu cynhyrfu i'r fath weithred feiddgar? A oedd y byd wedi newid cymaint ers dyddiau dedwydd 1395? Ni allai'r Saeson wneud na phen na chynffon o'r digwyddiad – roedd mor annisgwyl ac mor ffôl. Dau eglurhad oedd ganddynt, a'r ddau'n deillio o'r berthynas rhwng Owain Glyn Dŵr a'i gymydog, Reginald Grey, arglwydd Rhuthun a Dyffryn Clwyd a barwn o bwys yn Lloegr. Yn ôl un stori gyfoes, ffrae am ffiniau eu tiroedd – o bosib yn ardal Bryneglwys – oedd wrth wraidd yr anghydfod. Yn ôl stori arall, gwraidd yr helynt oedd penderfyniad twyllodrus Reginald Grey i rwystro llythyr gan y brenin Harri IV rhag cyrraedd Glyn Dŵr a thrwy hynny greu'r argraff fod Owain yn sarhau'r brenin ac yn gwrthod ei wŷs i fod yn rhan o'r fyddin o Loegr oedd ar fin mynd ar gyrch i'r Alban.

Gall y ddwy stori fod yn ddigon gwir. Nid oes lle i amau nad oedd Glyn Dŵr a Grey ar delerau gwael â'i gilydd. Dyna sy'n egluro pam mai tref Rhuthun oedd targed cyntaf y dorf a ymgasglodd yng Nglyndyfrdwy. Dyna hefyd pam y bu'r fath orfoledd yn Ebrill 1402 pan gipiwyd arglwydd Rhuthun gan filwyr Owain. Dichon mai ffrae bersonol a gynheuodd y fflam ym Medi 1400; ond nid yw ffrae bersonol ynddi'i hun yn ddigon i egluro'r hyn a ddigwyddodd yng Nglyndyfrdwy. Mae dwy ffaith ddiymwad yn profi hynny. Yn gyntaf, nid herio Reginald Grey a wnaeth Owain yng Nglyndyfrdwy ond datgan mai ef oedd gwir dywysog Cymru. Dim llai. Chwyldro cenedlaethol oedd y mudiad o'i ddiwrnod cyntaf. Yn ail, nid oedd cefnogwyr Owain yn bodloni ar dalu'r pwyth yn ôl i Reginald Grey trwy losgi tref Rhuthun. O Ruthun aethant ar gyrch dinistriol trwy Ddinbych, Rhuddlan, Fflint, Hollt, Croesoswallt a'r Trallwng – pob un ohonynt yn drefi Seisnig, yn eu tyb hwy, a phob un yn ganolfan rhagorfreintiau'r Saeson, a'u gormes, yng Nghymru. Mudiad gwrth-Seisnig oedd crwsâd Owain o'i ddechrau.

Hawdd yw dychmygu'r cynnwrf a'r hysteria yn nhrefi bychain Seisnig gogledd Cymru yn sgil cyrch cyntaf Owain. Roedd wedi taro fel corwynt cwbl ddirybudd ar draws patrwm eu bywydau ac wedi gyrru iâs o ddychryn i lawr eu cefnau. Anfonwyd llythyrau ar frys at y brenin ac at ei swyddogion yng ngogledd Cymru yn darogan gwae a diwedd byd ac yn ymbilio am help milwrol. Ond onid gorymateb oedd hyn? Wedi'r cwbl, trechwyd y terfysgwyr Cymreig mewn ysgarmes ger y Trallwng ar 24 Medi – wyth niwrnod yn unig wedi i Owain fod mor bowld â chyhoeddi mai ef oedd Tywysog Cymru. A oedd mudiad a oedd wedi chwythu ei blwc o fewn wythnos go dda yn teilyngu'r enw o wrthryfel, heb sôn am sylw brenin Lloegr? Byrhoedlog iawn oedd rhan fwyaf protestiadau'r canoloesoedd, cri sydyn yn erbyn gormes a cham; anaml iawn yr oedd ganddynt y dyfalbarhad a'r adnoddau i ddal ati unwaith yr oeddent wedi mynegi eu llid.

Ai protest o'r fath oedd cyrch Owain Glyn Dŵr? Ai gollwng stêm yn y tymor cynhyrfus hwnnw wedi'r cynhaeaf a chyn i dywydd y gaeaf oeri'r gwaed oedd ei bwrpas? Hawdd fyddai credu hynny, yn enwedig o gofio bod gan y Cymry yr enw o fod yn benchwiban a di-ddal. Penysgafndod, *levitas cervicosa*, oedd eu gwendid cynhenid yn ôl sylwedyddion cyfoes. Onid dyma englhraifft arall i gadarnhau'r dadansoddiad hwn? Wedi'r cyfan, er bod 'byddin' Glyn Dŵr wedi creu tipyn o lanast a dychryn ym mân-drefi gogledd-ddwyrain Cymru, nid oedd wedi llwyddo i gipio unrhyw gastell na pheryglu gafael milwrol y Saeson ar Gymru, a chafodd ei drechu unwaith y cyfarfu â chatrawd ddisgybledig o filwyr Seisnig. Does ryfedd fod llawer o gefnogwyr mwyaf blaenllaw a brwd Owain wedi rhoi'r ffidil yn y to bron ar unwaith ac erfyn am bardwn brenin Lloegr. Yn eu plith yr oedd ei frawd, Tudur, Hywel Cyffin, deon Llanelwy, a'r 'proffwyd', Crach Ffinnant. Anodd cymryd o ddifrif fudiad yr oedd rhai o'i gefnogwyr cynnar yn troi cefn arno mor fuan a di-seremoni.

Ond nid felly y gwelai'r brenin, Harri IV, y sefyllfa yng Nghymru. Er fod rhai o'i gynghorwyr yn dweud wrtho am beidio talu gormod o sylw i'r newyddion am derfysg yng Nghymru, ystyriai'r brenin y bygythiad yn un go iawn. Dyn yn byw ar ei nerfau oedd Harri. Roedd wedi cipio'r goron yn sydyn a dirybudd ym Medi 1399 ar ôl diorseddu Rhisiart II. Nid oedd pawb o bell ffordd yn derbyn bod ganddo hawl ddilys i goron Lloegr, ac yn ystod blynyddoedd cynnar ei deyrnasiad – yn wir o 1399 hyd 1405 – fe wynebodd gyfres o gynllwynion a gwrthryfeloedd ym mhob cwr o'r wlad, a bygythiadau o du Ffrainc a'r Alban ar ben hynny. Does ryfedd ei fod yn byw ar ei nerfau. Ni allai gŵr o'r fath fentro anwybyddu terfysg yng Nghymru. Hawdd fyddai i'r terfysg hwnnw dyfu fel caseg eira nes peryglu nid yn unig afael y Saeson ar Gymru ond hefyd afael Harri ar ei orsedd.

Un rheswm dros ei bryder yw ei fod yn gwybod, yn llawer gwell na ni, hyd a lled y terfysg yng Nghymru. Nid cyrch Owain Glyn Dŵr o Ruthun i'r Trallwng a'i poenai yn gymaint â'r sibrydion o anesmwythyd a therfysg yng ngogledd-orllewin Cymru, ym Môn ac Arfon. I'r ardal honno, nid i Sycharth na Glyndyfrdwy, yr arweiniodd Harri IV ei fyddin yn Hydref 1400. Mae hynny'n awgrymu'n gryf fod cyrch Owain ym Medi 1400 yn rhan o gynllwyn llawer ehangach a bod canghennau'r cynllwyn hwnnw'n ymestyn ar draws gogledd Cymru gyfan. Y prif gynllwynwyr ym Môn ac Arfon oedd dau frawd, Rhys a Gwilym ap Tudur. Gwell i mi eu cyflwyno gan fod ganddynt ran allweddol i'w chwarae yn nrama'r gwrthryfel.

Gyda'u tras y mae dechrau, a thras odidog oedd hi. Gallasai Rhys a Gwilym olrhain eu hach yn ôl yn ddi-dor i Ednyfed Fychan, prif gynghorwr Llywelyn Fawr, tywysog Gwynedd (m.1240). Ers dyddiau Ednyfed, bu ei ddisgynyddion gyda'r mwyaf blaenllaw a phwerus yng ngogledd Cymru, boed hynny yng ngwasanaeth tywysog Gwynedd neu frenin Lloegr. Dyna, felly, etifeddiaeth Rhys a Gwilym; yng ngeiriau'r bardd hwy oedd 'llywiawdwyr eu hardal'. Mesur o'u pwysigrwydd yng ngolwg llywodraeth Lloegr oedd fod Rhys yn ei dro wedi cael ei ddewis yn siryf Môn, sef y brif swydd ar yr ynys, a bod y ddau frawd wedi arwain catrawdau o filwyr o Gymry i Ffrainc ac Iwerddon yn enw brenin Lloegr. Mewn gair, dyma ddau Gymro blaenllaw – ac roedd llawer tebyg iddynt ar draws Cymru – oedd wedi dysgu cydweithio'n hapus â'r awdurdodau Seisnig yng Nghymru ac wedi elwa o hynny. Yn wir, nid gormod fyddai honni mai ar deyrngarwch a gwasanaeth dynion megis Rhys a Gwilym ap Tudur y dibynnai llwyddiant y drefn Seisnig yng Nghymru, a heddwch y wlad.

Pam, felly, wedi oes o wasanaeth llwyddiannus, y penderfynodd y ddau ohonynt droi cefn ar y drefn hon a chynnig eu cefnogaeth i Owain Glyn Dŵr yn ei gynllwyn herfeiddiol? Ni chawn byth wybod y rhesymau'n llwyr, ond gallwn awgrymu o leiaf ddau reswm. Y cyntaf oedd eu bod yn adnabod Owain yn dda. Wedi'r cyfan, roeddent yn gefndryd iddo gan fod eu mam a mam Owain yn ddwy chwaer. O ddweud hynny cyffyrddwn â thema sy'n ganolog i ddeall momentwm mudiad Owain, sef grym a phwysigrwydd clymau ach a phriodas yng ngwead cymdeithas uchelwyr Cymru. Ond roedd rheswm mwy personol pam y cefnodd Rhys a Gwilym ar oes o wasanaeth i frenin Lloegr ym 1400. Gwyddom fod y ddau frawd wedi ymuno â gosgordd bersonol y brenin Rhisiart II ym 1398 a'u bod wedi derbyn rhodd hael ganddo. Pan ddiorseddwyd Rhisiart yn y flwyddyn olynol, felly, collodd Rhys a Gwilym eu noddwr, yn union fel y collodd Owain Glyn Dŵr ei noddwr pan ddienyddiwyd iarll Arwndel ym 1397. Felly cyplyswyd Owain a'r brodyr o sir Fôn â'i gilydd gan gwlwm colled yn ogystal â chwlwm gwaed. Dichon eu bod ill tri wedi cydgynllwynio ym 1400 i adfer Rhisiart II fel brenin Lloegr ar yr amod y byddai Owain yn cael ei dderbyn fel tywysog Cymru. O'r dechrau, felly, yr oedd protest Owain Glyn Dŵr

– a'r dyfalu a fyddai'n llwyddiant ai peidio – wedi ei gweu'n dynn i ferw gwleidyddol Lloegr.

Dyna un rheswm pam y penderfynodd y Brenin Harri IV nad rhyw gynnwrf bach, lleol, dibwys oedd yr helyntion yng Nghymru ym Medi 1400. Ond fe sylweddolodd hefyd fod dimensiwn arall mwy bygythiol o lawer i'r trafferthion yng Nghymru. Nid siom a chwerwedd unigolion megis Owain, Rhys a Gwilym yn unig, neu yn wir yn bennaf, oedd y tu cefn i'r brotest; ni fyddai'r brotest wedi para mwy nag ychydig wythnosau pe bai hynny'n wir. Llawer pwysicach yn y bôn oedd dicllonedd trwch poblogaeth Cymru tuag at ormes y Sais (fel y gwelent hwy ef) a'u dyhead am drefn wleidyddol gwbl Gymreig. Mudiad cenedlaethol Cymreig oedd y gwrthryfel o'i ddyddiau cynharaf. Dyna sydd wrth gefn y straeon fod myfyrwyr o Gymru ym mhrifysgolion Rhydychen a Chaergrawnt wedi brysio adref i ymuno yn y frwydr a bod y Cymry oedd yn gweithio ar ffermydd Lloegr hefyd wedi dilyn eu hesiampl. Er nad oedd Owain wedi cyflawni fawr ddim yn filwrol hyd yma, roedd Cymru eisoes yn amlwg yn eirias.

Nid oes tystiolaeth well i hynny nag ymateb penboeth yr awdurdodau yn Lloegr. Yn gynnar ym 1401 pasiwyd cyfres o statudau ac ordinhadau ffiaidd o wrth-Gymreig; ychwanegwyd atynt ym 1402. Dyma'r Deddfau Penyd, fel y'u gelwid gan sylwedyddion diweddarach. Eu pwrpas, mewn gair, oedd diogelu a chryfhau'r drefn Seisnig yng Nghymru a dyfnhau'r bwlch rhwng y Cymry a'r Saeson. Deddfau cwbl ethnig eu naws oeddent. Roedd y gwaharddiadau ar hawliau'r Cymry'n lleng: nid oeddent i ddal unrhyw swydd o bwys o fewn Cymru; ni chaent fod yn berchen ar gastell na thŷ caerog yno na bod yn aelod o garsiwn y cestyll Seisnig yng Nghymru; nid oeddent i wisgo arfau ar y briffordd nac ychwaith mewn na thref na marchnad; gwaharddwyd hwy rhag prynu tir yn Lloegr ac o fewn trefi Cymru; ni ellid eu derbyn fel bwrdeisiaid yn nhrefi Seisnig Cymru. Ochr arall y geiniog i'r holl fesurau gwrth-Gymreig hyn oedd cadarnhau rhagorfreintiau trigolion Seisnig Cymru: ni ellid dedfrydu Sais cyflawn – hynny yw, gŵr neu wraig o dras Seisnig ar ochr ei dad a'i fam – yn unig ar air Cymro o fewn Cymru; dim ond rheithgor o Saeson 'cyflawn' allai wneud hynny.

Ni ellir gwadu am funud nad oedd y deddfau hyn – a cheir adlais cryf ohonynt hefyd mewn ordinhadau lleol, megis rhai Caer ac Aberhonddu – yn gwbl hiliol. Condemniwyd y Cymry am eu bod yn Gymry. Yn llygaid yr awdurdodau yn Lloegr roedd pob Cymro bellach yn ddarpar rebel. Dyna sy'n egluro pam y'u gwaharddwyd rhag cyfarfod â'i gilydd mewn 'cymanfaoedd'; dyna hefyd pam mai'r beirdd a'r crythorion a ddrwgdybiwyd am hau hadau protest ymhlith y Cymry. Yr hyn yr oedd gwrthryfel Glyn Dŵr wedi ei gyflawni o'i ddyddiau cynnar oedd dangos yn glir i'r Saeson mai cwbl arwynebol oedd eu gafael ar Gymru. Roeddent wedi concro'r wlad yn filwrol ac yn ei dal o fewn eu gafael o'u rhwydwaith o gestyll. Roeddent hefyd yn godro'r wlad i'r eithaf yn gyllidol i lenwi eu coffrau eu hunain. Ond o dan yr haen denau hon o awdurdod a grym, goroesai cymdeithas gwbl Gymreig o ran traddodiadau, breuddwydion a dyheadau. Dangos breuder yr haen awdurdodol hon ar y naill law a dyfnder a gwytnwch argyhoeddiadau cynhenid y gymdeithas frodorol Gymreig ar y llaw arall oedd un o gampau Owain Glyn Dŵr.

Ond roedd arwyddocâd arall i'r Deddfau Penyd: dangosent ddyfnder y bwlch rhwng y Saeson a'r Cymry ac yn wir yr awydd i ddiffinio'r bwlch hwnnw'n fwy eglur ac i'w gryfhau'n statudol. Anodd i ni heddiw yw amgyffred y bwlch hwn. Bellach nid oes fawr ddim, yn allanol beth bynnag, i wahaniaethu rhwng Sais a Chymro, a dogma ein hoes yw canmol a hyrwyddo rhagoriaethau amlhiliaeth. Nid felly yr oedd hi yn yr Oesoedd Canol. Ar lefel allanol roedd y gwahaniaeth rhwng Sais a Chymro yn amlwg – o ran gwisg, bwyd, tai, moes, buchedd, iaith a thraddodiadau. Ar lefel ddeallusol hefyd, tybid bod pob cenedl – *gens* oedd y gair Lladin a ddefnyddid amlaf – yn wahanol i'w gilydd a bod Duw wedi eu creu felly. O sylweddoli hyn, nid yw'n syndod mai'r bwriad oedd diogelu hunaniaeth a chymeriad cenedl a phobl. Dyna, er enghraifft, oedd bwriad Statudau enwog Kilkenny (1366) yn Iwerddon: diogelu hunaniaeth y Saeson yn Iwerddon rhag cael ei llychwino gan iaith ac arferion y Gwyddelod, rhag yr hyn a elwid yn *degeneracy*, sef colli hunaniaeth y *gens*. Dyna hefyd oedd bwriad y Deddfau Penyd ym 1401–2: cadarnhau a thanlinellu'r gwahaniaethau rhwng y Cymry a'r Saeson o fewn Cymru.

Ond erys un dimensiwn arall ynglŷn â'r Deddfau Penyd y dylid ei bwysleisio. Bwriad y Deddfau oedd cyfyngu ar y Cymry a'u trin fel dinasyddion eilradd o fewn y wlad. Mewn gair, nid perthynas gyfartal oedd y berthynas rhwng Saeson a Chymry ond y berthynas rhwng concwerwyr breintiedig a brodorion difreintiedig. Y chwerwder a'r teimlad o anghyfiawnder ysol a ddeilliai o'r berthynas hon oedd wrth wraidd gwrthryfel Glyn Dŵr a'r gefnogaeth ryfeddol o enillodd. Cawn gip ar y chwerwder hwnnw yn y sylw enwog a ysgrifennwyd ar ymyl tudalen un o lawysgrifau Hopcyn ab Einion ap Tomos sy'n sôn am 'y poen a'r dioddef a'r alltudiaeth' yr oedd y Cymry yn eu profi yn eu gwlad eu hunain. Does ryfedd fod y Cymry, yn ôl un sylwedydd cyfoes, yn teimlo dicter a chasineb tuag at y Saeson. Medi cynhaeaf y dicter hwnnw oedd bwriad Glyn Dŵr: dyna pam mai trefi bychain, breintiedig, Seisnig Cymru oedd ei darged cyntaf. Ond un o ganlyniadau cyntaf y gwrthryfel oedd dyfnhau a chryfhau'r bwlch rhwng y Cymry a'r Saeson; dyma oedd union fwriad y Deddfau Penyd. Dichon mai seicolegol a phropagandyddol, yn hytrach nag ymarferol, oedd canlyniadau'r Deddfau, ond nid oes amheuaeth na adawsant graith ddofn a phoenus yn isymwybod y Cymry am genedlaethau. Gallwn weld hynny, er enghraifft, yn ysgrifau George Owen o Henllys (sir Benfro) ddwy ganrif yn ddiweddarach. Prin fod gan George Owen – mwy na mwyafrif ysgweiriaid Cymru ei oes – barch at goffadwriaeth Glyn Dŵr nac ychwaith ronyn o gydymdeimlad â'i wrthryfel, ond nid oedd yn fyr o gondemnio'r Deddfau Penyd yn hallt: fe'u dyfeisiwyd, meddai, 'not only for the punishment [of Welshmen] but to deprive them of good education and make them uncivil and brutish'. Roedd condemniad David Powel o Riwabon o'r deddfau'n llymach fyth: 'more heathen than Christian' oedd ei sylw diflewyn-ar-dafod arnynt. Dichon fod yr awdurdodau yn Lloegr wedi gorymateb gyda'r Deddfau, ond ni ellid gwell tystiolaeth faint o fygythiad oedd protest Glyn Dŵr yn llygaid y Saeson. Nid dicter personol un dyn oedd y tu cefn i'r brotest ond cynddaredd cenedl gyfan.

Ond nid felly yr ymddangosai tua diwedd Hydref 1400. I'r gwrthwyneb, byddai unrhyw sylwedydd craff yn cyhoeddi'n dalog fod y mymryn gwrthryfel trosodd. Onid oedd cyrff yr wyth Cymro a grogwyd yn Rhuthun ar 28 Medi yn warant o hynny? A beth am gorff Gronw ap Tudur a ddrylliwyd yn bedwar darn i'w hanfon i bedair o drefi'r

Castell Conwy. Dyma'r castell a gipiwyd gan Rhys a Gwilym ap Tudur ar 1 Ebrill 1401 tra oedd y milwyr yn yr eglwys.

Goron i gyhoeddi buddugoliaeth y Saeson yng Nghymru? Bellach roedd y gaeaf yn cau am y wlad ac Owain Glyn Dŵr yn ffoadur diymgeledd yn hiraethu am gysuron cartref clyd. A fyddai ef yn ceisio pardwn ac yn plygu i'r drefn? Pe bai llywodraethwyr Lloegr wedi bod yn fwy dychmygus a pharotach i gymodi yn hytrach na mynnu dial, dichon y byddai'r gwrthryfel drosodd cyn diwedd y gaeaf.

Ond yn gwbl ddisyfyd chwalwyd hunanhyder a hunanfodlonrwydd y Saeson, a hynny yn y modd mwyaf dramatig posib. Dydd Gwener y Groglith, 1 Ebrill 1401, oedd y diwrnod. Roedd y milwyr Seisnig oedd yn gwarchod castell Conwy yn yr eglwys ar gyfer gwasanaeth y Pasg. Manteisiodd Rhys a Gwilym ap Tudur – y ddau frawd pwerus o Sir Fôn – ar eu habsenoldeb i sleifio i mewn i'r castell gyda deugain o'u dilynwyr a'i gipio. Dyma'r union weithred heriol sy'n gallu trawsnewid sefyllfa dros nos: Dafydd yn trechu Goliath, criw bychan o Gymry cyffredin yn cipio un o'r cestyll cadarnaf yn Ewrop gyfan a hynny o dan drwyn garsiwn o filwyr proffesiynol. Byddai'r newydd wedi lledu fel tân gwyllt ar draws gogledd Cymru o fewn dyddiau ac wedi sbarduno eraill ym mhob rhan o'r wlad i feddwl am orchestion cyffelyb.

Daliodd y criw bach o Gymry afael ar y castell am dros ddeufis, gan ychwanegu at embaras y Saeson. Y gŵr oedd yn gyfrifol am reoli gogledd Cymru ar ran llywodraeth Llundain ar y pryd oedd Henry Percy, a adwaenir yn well o dan yr enw Hotspur. Mae'r llythyrau rhyngddo a chyngor y brenin yn dangos ei fod yn barod i daro bargen â Rhys a Gwilym ap Tudur er mwyn cael ailafael ar y castell ond bod y llywodraeth wedi gwahardd y cymodi. Dichon mai o'r gwahaniaeth bach hwn y dechreuodd yr ymbellhau rhwng Hotspur a theulu Percy yn gyffredinol ar y naill law a'r Brenin Harri IV ar y llall. Y gŵr a fyddai'n elwa i'r eithaf o'r cweryl hwn yn y man fyddai Owain Glyn Dŵr. Roedd Owain yn dechrau dangos ei ddawn i droi gwahaniaethau barn a chynllwynion o fewn Lloegr i'w felin ei hun. Dyna un rheswm sylfaenol dros ei lwyddiant.

Rywdro ym mis Mehefin 1401 penderfynodd Rhys a Gwilym na allent ddal gafael ar gastell Conwy bellach. Cawsant ill dau bardwn ynghyd â'r hawl i arwain eu criw o'r castell – ond ar un amod, sef eu bod yn trosglwyddo wyth o'r criw i'r Saeson i'w dienyddio. Roedd rhestr ferthyron y gwrthryfel yn tyfu ac fel y gwyddom yn dda o'n dyddiau ni, nid oes dim cyffelyb i stoc dda o ferthyron, a'r cof am eu gwrhydri, am gadw protest yn fyw ac yn eirias. Dyna oedd profiad Cymru ar draws misoedd haf 1401. Gŵr ar ben y 'Wanted List' oedd Owain bellach. Anfonwyd ysbiwyr i chwilio amdano ym mharthau Traeth Mawr (ger Porthmadog heddiw) ac yn Nantconwy. Ond roedd dawn y *Scarlet Pimpernel* ganddo a gwyddai i'r dim sut i chwarae mig â'r awdurdodau Seisnig yng Nghymru. Bellach roedd y brotest a gynheuodd ym Medi 1400 fel tân mynydd – yn cynnau fflamau mewn mannau ymhell o'i gilydd. Fel gyda phob rhyfel *guerrilla* ar draws y canrifoedd, lledai'n gwbl ddirybudd a digyswllt o un rhan o Gymru i'r llall. Un munud roedd castell Harlech o dan warchae a chatrawd o 500 o wŷr yn martsio o Gaer drwy'r Bala i geisio ei achub; y munud nesaf, yr oedd Owain a'i lu'n ymosod ar dref a chastell Caernarfon.

Ond ni chyfyngwyd y gwrthryfel bellach i ogledd-orllewin Cymru'n unig. Roedd fflamau'r gwrthryfel bellach wedi ymledu i Geredigion a Phowys; hyd yn oed yng Nghydweli ac Abertawe cynyddwyd nifer y milwyr yn y cestyll oherwydd y pryder y byddai haint y gwrthryfel yn cyrraedd yno. Penderfynodd Harri IV fod y sefyllfa mor ddifrifol nes ei bod yn ofynnol iddo arwain ymgyrch filwrol arall i Gymru i ddiffodd fflamau'r gwrthryfel ac i osod stamp ei awdurdod ar y wlad. I dde-orllewin Cymru, nid i'r gogledd-orllewin, y cyfeiriodd ei fyddin y tro hwn yn hydref 1401 gan deithio trwy Aberhonddu, i lawr Dyffryn Tywi a thua Cheredigion. Mynachlog Ystrad Fflur yng nghesail mynyddoedd Ceredigion oedd ei bencadlys. Nid damweiniol oedd y dewis. Ystrad Fflur oedd un o brif fynachlogydd Cymru ac un o brif geidwaid y diwylliant Cymraeg. Dichon y credai Harri fod y mynaich wedi rhoi eu cefnogaeth yn frwd i Glyn Dŵr a'i griw; yn wir, yr oedd mynaich a chlerigwyr ymhlith cefnogwyr mwyaf penboeth Owain. Rhaid oedd talu'r pwyth yn ôl. Gyrrwyd y mynaich o'u mynachlog; trawsffurfiwyd yr eglwys yn llety i feirch a milwyr y brenin, a dinistriwyd y wlad oddi amgylch. Dial a chreu dychryn oedd pwrpas y brenin; dyna un ffordd o geisio cael y Cymry'n ôl yn deyrngar iddo.

Ar ei daith i Ystrad Fflur roedd Harri IV wedi ceisio dysgu'r wers honno eisoes, a hynny yn Llanymddyfri. Ar 9 Hydref 1401 dienyddiwyd Llywelyn ap Gruffudd Fychan o Gaio ym mhresenoldeb y brenin. Mae gennym ddisgrifiad trawiadol o Lywelyn mewn cronicl cyfoes: 'gŵr o dras aruchel, gŵr hael, gŵr a ddosbarthai un baril ar bymtheg o win yn ei dŷ bob blwyddyn'. Dyma ddarlun delfrydol o uchelwr Cymreig y cyfnod: ei dras a'i haelioni a'i letygarwch oedd y nodweddion cofiadwy amdano. Roedd yn ŵr o bwys yn ei fro ond bellach yr oedd yntau yn un o gefnogwyr Glyn Dŵr. Yr oedd yr ysgrifen ar y mur i'r drefn Seisnig yng Nghymru. Ni wyddom a blediodd Llywelyn am bardwn gan y brenin ai peidio; ond barn croniclwr cyfoes o Sais oedd fod ffyddlondeb diysgog y Cymry i Owain yn wers i'r Saeson ei hefelychu.

Bratiog iawn yw ein gwybodaeth am Owain Glyn Dŵr ei hun yn ystod y blynyddoedd 1401–2. Ar un ystyr, ffoadur ydoedd yn herio gallu'r gelyn i'w gipio, yn gwibio o le i le ac yn byw ar drugaredd ei gyfeillion a'i gefnogwyr. Roedd y sefyllfa mewn rhannau helaeth o Gymru yr un mor ddryslyd: faint o'r wlad oedd yn dal yn ufudd i'r llywodraethwyr Seisnig, faint ohoni oedd bellach yn talu gwrogaeth i Owain? Ni wyddom, a does ryfedd hynny. Wedi'r cyfan, rhyfel y *guerrilla* oedd mudiad Glyn Dŵr, fel mudiad y Vietcong yn Vietnam. Allwedd llwyddiant y *guerrilla* yw osgoi brwydr agored yn erbyn gelyn llawer mwy pwerus; ei gryfder yw taro'n sydyn a dirybudd mewn mannau annisgwyl ac yna ddiflannu i'r mynyddoedd a'r goedwig. Nid oedd y terfysgwyr wedi cipio unrhyw un o gestyll Cymru, er bod Harlech a Chaernarfon wedi dod o dan warchae. Yr oedd fflamau'r gwrthryfel heb eto gyrraedd rhannau helaeth o dde-orllewin a de-ddwyrain Cymru nac ychwaith sir y Fflint yn y gogledd. Ond cawn yr argraff fod rhannau helaeth o Fôn, Arfon a Meirion bellach yn llithro o afael y llywodraethwyr Seisnig; *no go areas* fyddai enw ein dyddiau ni arnynt. A bregus ddigon oedd gafael y swyddogion Seisnig ar rannau o Geredigion a sir Gaerfyrddin.

Yn y sefyllfa oedd ohoni erbyn diwedd 1401 a dechrau 1402, byddai proffwyd gwleidyddol wedi gweld un o dair ffordd o lunio'r dyfodol yng Nghymru. Un fyddai taro bargen rhwng y brenin ac Owain Glyn Dŵr. Yr oedd arwyddion fod trafodaethau ar y gweill, ond ofer fu'r ymdrech. Yr ail ddewis oedd gobeithio y byddai'r terfysgwyr yn rhoi'r ffidil yn y to. Byddai oerwyntoedd y gaeaf a diffyg bwyd ac arfau'n siŵr o dorri eu calonnau'n hwyr neu'n hwyrach. Mae dechrau protest yn un peth; mae cynnal y brotest honno dros fisoedd yr hirlwm ac yng ngwyneb colledion a chyni yn fater llawer anos. Ond nid oedd awr y gwrthgilio wedi cyrraedd eto. Yn wir, i'r gwrthwyneb. Daw hyn â ni at y trydydd opsiwn. Mud-losgi yr oedd y gwrthryfel dros fisoedd gaeaf 1401–2; os nad oedd y tân i ddiffodd yn llwyr rhaid oedd taflu olew ar y gwreichion a hynny mewn pryd.

Dyna ddigwyddodd ddiwedd gwanwyn a dechrau haf 1402. Y strôc gyntaf oedd herwgipio Reginald Grey, arglwydd Rhuthun a Dyffryn Clwyd, tua mis Ebrill. Dyma yn wir oedd profiad melys i Owain. Yn ôl yr hanes, roedd hen elyniaeth rhwng Owain a'r Arglwydd Grey; yn wir, dichon mai ffrwgwd rhwng y ddau oedd yn bennaf cyfrifol am gynnau fflam y gwrthryfel ym Medi 1400. Bellach roedd gelyn pennaf Owain ar ei drugaredd. Byddai wedi bod yn demtasiwn i'w grogi, fel y crogwyd Llywelyn ap Gruffudd Fychan gan Harri IV yn Llanymddyfri. Ond roedd dau reswm da dros beidio gwneud hynny. Cafodd Owain fagwraeth fel marchog; yn wir yr oedd ef a Reginald Grey wedi cydwasanaethu yng ngosgordd iarll Arwndel ym 1387. Un o gonfensiynau sifalri byd y marchogion oedd na ddylai un marchog ladd un arall os cipiai ef yn fyw. Teg lladd a dienyddio gwerin gyffredin, ond nid marchogion. Dyma gyfle felly i Owain ddangos ei fod ef yn parchu rheolau byd sifalri, er nad oedd brenin Lloegr wedi gweld yn dda i'w urddo'n farchog. Daw hyn â ni at yr ail reswm dros beidio dienyddio Reginald Grey: gallai marchogion ennill eu rhyddid trwy dalu pridwerth, *ransom*, sylweddol. A beth fyddai'n fwy derbyniol i Owain na chrocbris o bridwerth? Byddai'r arian yn gyfle iddo brynu nwyddau ac arfau. Dyna ddigwyddodd. Cyn diwedd y flwyddyn cafodd Reginald Grey ei ryddid unwaith eto ond dim ond ar ôl i gyngor y brenin gytuno i dalu 10,000 marc (£6,666.13.4) – swm enfawr yn ôl safonau'r dydd, mwy nag incwm blynyddol y rhan fwyaf o brif icirll Llocgr.

Anodd gorbrisio pwysigrwydd cipio Reginald Grey. Yn seicolegol, cyfatebai i gipio Castell Conwy bron union flwyddyn ynghynt. Rhoddodd hwb enfawr i ysbryd a phenderfyniad y Cymry ar yr union adeg yr oedd eu hyder yn dechrau edwino. Yn gyllidol, trawsnewidiodd y pridwerth sefyllfa Glyn Dŵr; roedd ganddo'r arian bellach i feddwl am droi breuddwydion yn realiti. Yn wleidyddol, hefyd, nid herwr mohono bellach ond gŵr yr oedd yn rhaid i lywodraeth Lloegr drafod yn ffurfiol ag ef i bennu pridwerth Reginald Grey. Dyna a ddigwyddodd: awdurdodwyd grŵp o farchogion brenin Lloegr i bennu maint y pridwerth gydag Owain a'i gyngor. Roedd rebel Glyndyfrdwy bellach yn cael ei drin fel arweinydd credadwy. Ac fel arweinydd craff hefyd. Yn ôl stori ddiweddarach, ceisiodd gweision Reginald Grey dwyllo Owain trwy gynnig arian ffug iddo yn lle arian go iawn fel pridwerth eu meistr; gwelodd Owain drwy'r twyll ar unwaith a dyblu'r pridwerth yn y fan a'r lle. Nid oes gadarnhad cyfoes i'r chwedl ond mae bodolaeth y chwedl a'r ffordd y trosglwyddwyd hi ar gof gwlad yn dystiolaeth fod delwedd Owain ap Gruffudd bellach wedi ei drawsnewid o fod yn sgweier Glyndyfrdwy a Sycharth i fod yn arweinydd cenedlaethol cyfrwys a hirben. Roedd Owain wedi cychwyn ar ei yrfa fel arwr ei bobl ac, fel pob arwr gwerth ei halen, roedd yn berchen ar ddoniau anarferol, goruwchnaturiol hyd yn oed.

Prawf pellach o hynny oedd y digwyddiad nesaf pwysig yn hanes ei wrthryfel. Ar 22 Mehefin 1402 ar y Bryn Glas ger Pilalau (Pilleth), nid nepell o Drefyclawdd (Knighton), trechodd Owain a'i ddilynwyr fyddin Seisnig a gasglwyd ynghyd yn swydd Henffordd. Hon oedd un o ychydig frwydrau agored y gwrthryfel ac un dyngedfennol oedd hi ar lawer cyfrif. Noder, yn gyntaf, man y frwydr – o fewn cyrraedd i Glawdd Offa a thiroedd breision Lloegr ac yng nghanolbarth dwyreiniol Cymru. Nid mudiad gogledd a gorllewin Cymru yn unig oedd gwrthryfel Owain bellach. Noder, yn ail, fod milwyr Owain erbyn hyn yn ddigon mentrus a hyderus i wynebu, a threchu'n llwyr, fyddin broffesiynol Seisnig mewn brwydr agored. Lladdwyd tri o brif farchogion swydd Henffordd a dwsinau, os nad cannoedd, o filwyr Seisnig ar faes Bryn Glas. Un rheswm dros faint y dinistr oedd fod y Cymry ym myddin y Saeson wedi bradychu eu harweinwyr a chefnogi Owain.

Ysgydwyd y llywodraeth yn Lloegr i'w seiliau gan y newydd am y gyflafan ym Mryn Glas. Roedd yr Albanwyr yn y gogledd a'r Ffrancwyr ar draws y Sianel eisoes yn bygwth Lloegr; bellach, yn wyneb y newyddion o'r Gororau, ni ellid ychwaith anwybyddu'r Cymry na gobeithio y byddai'r gwrthryfel yno'n chwythu ei blwc. Arwydd o faint y sioc seicolegol a barodd y frwydr oedd y chwedlau a dyfodd amdani a daeth y rheiny'n rhan o fytholeg y Saeson am y Cymry. Adroddwyd fel yr oedd merched Cymreig wedi crwydro ar draws faes y gad wedi'r frwydr yn cam-drin cyrff y Saeson a laddwyd yno, ac yn benodol felly yn torri eu ceilliau i ffwrdd. Nid oes rhaid credu'r stori; dyma'r union fath o bropaganda tywyll y mae pob rhyfel yn esgor arno. Serch hynny, mae arwyddocâd pendant i'r chwedlau. Roeddent yn cadarnhau delwedd y Cymry ymhlith y Saeson fel barbariaid anwar a bwystfilaidd. Dyma gefndir y drwgdeimlad rhwng y ddwy genedl a fynegwyd mor huawdl yn y Deddfau Penyd. Ond tu hwnt i'r ddelwedd gyffredinol hon o'r Cymry, roedd delwedd Owain Glyn Dŵr ei hun yn ymffurfio ym meddylfryd y Sais. Gŵr digymrodedd, gwaedlyd, dialgar; dyma'r gŵr, yn ôl yr hanes, a fyddai'n dienyddio trigain o'r milwyr a amddiffynnai gastell Maesyfed. Gŵr i'w ofni. Pan grëir delwedd o'r fath – demoneiddio yw ein gair cyfoes amdano – mae'n arwydd pendant fod gwrthrych y ddelwedd wedi gwneud ei farc. Ni allai neb anwybyddu na bychanu Owain Glyn Dŵr ar ôl buddugoliaeth Bryn Glas.

Ond gadawsom tan yn olaf brif arwyddocâd brwydr Bryn Glas. Un o'r arweinwyr Seisnig a garcharwyd gan Glyn Dŵr yn sgil y frwydr oedd dyn o'r enw Edmwnd Mortimer. Pwy felly oedd Edmwnd Mortimer a pham ei fod mor bwysig? Hen deulu Normanaidd oedd y Mortimeriaid. Wigmore, yng ngorllewin swydd Henffordd, oedd eu pencadlys ac am yn agos i ddwy ganrif bu'r teulu'n ymladd i ennill mwy o diroedd yng nghanolbarth Cymru. Ar eu tiroedd hwy yr ymladdwyd brwydr Maes Glas. Teulu, felly, â diddordeb mawr yn yr hyn oedd yn digwydd yng Nghymru. Cyfnod mwyaf llewyrchus y teulu oedd y bedwaredd ganrif ar ddeg; erbyn dyddiau Owain Glyn Dŵr roedd yn agos i draean o dir Cymru o dan eu hawdurdod. Byddai hynny'n ddigon ynddo'i hun i roi bri a phwysigrwydd i Edmwnd Mortimer. Ond ar ben hynny, gellid hawlio mai aelod o deulu Mortimer – Edmwnd arall a nai y gŵr a garcharwyd ym Mryn Glas – oedd yn berchen ar yr hawl gryfaf i goron Lloegr ar ôl diorseddu Rhisiart II ym 1399. Deinameit gwleidyddol, felly, oedd fod Edmwnd Mortimer, yr hynaf, bellach yn garcharor yng ngofal Glyn Dŵr. Beth pe bai Owain, y gŵr a honnai mai ef oedd gwir dywysog Cymru, ac Edmwnd, ewythr yr hogyn a ystyrid gan lawer yn wir frenin Lloegr, yn cydgynllwynio?

Dyna a ddigwyddodd cyn diwedd y flwyddyn. Dichon y disgwyliai Edmwnd Mortimer y byddai'r llywodraeth yn Llundain yn trefnu talu pridwerth i Owain er mwyn iddo adennill ei ryddid, yn union fel y gwnaethpwyd yn achos Reginald Grey. Ond nid felly y bu. Am ba reswm bynnag, methodd y trafodaethau ac yn wir daeth Edmwnd i'r casgliad nad oedd hi ym mwriad Harri IV i roi help llaw iddo a threfnu iddo gael ei ryddhau. Rhywdro yn ystod misoedd haf 1402 penderfynodd Edmwnd drosglwyddo ei deyrngarwch i Owain. Efallai mai cwlwm cariad oedd y tu cefn i'r penderfyniad dramatig hwn. Erbyn Tachwedd 1402 roedd Edmwnd wedi priodi Catrin, merch Owain, a hynny mewn seremoni urddasol oedd yn gweddu i ferch i dywysog. Ni chawn byth wybod ai cariad ynteu polisi oedd y tu cefn i'r briodas; dichon fod y ddau'n cydredeg â'i gilydd. Fe fu, hyd y gwyddom, yn briodas eithriadol hapus tra bu. Bendithiwyd y pâr ifanc â nythaid o blant a hynny ym merw'r gwrthryfel. Trist fu diwedd yr uniad: bu farw Edmwnd yng nghastell Harlech wrth amddiffyn y castell ar ran ei dad-yng-nghyfraith; bu farw mab y briodas yn blentyn ifanc a bu farw Catrin a dwy o'i merched yn garcharorion yn Nhŵr Llundain ym 1413.

Ond tristwch y dyfodol oedd hynny ym 1402. Blwyddyn o lwyddiant milwrol eithriadol a blwyddyn o lawenydd personol oedd 1402 i Owain. Roedd wedi clymu ei hawl ei hun i fod yn dywysog Cymru wrth hawl y Mortimeriaid i goron Lloegr. Camp filwrol Bryn Glas oedd y tu cefn i'r cynghrair hwn, ond ar ben y gamp filwrol honno adeiladwyd gwoledigaeth wleidyddol. Sylweddolodd Owain mai trwy droi dŵr gwleidyddiaeth gwerylgar Lloegr i'w felin ei hun y gallai wireddu ei freuddwyd o fod yn dywysog Cymru. Roedd deunydd gwladweinydd yn ogystal â deunydd milwr ynddo.

Pennod 3

Penllanw

Y tair blynedd rhwng haf 1402 a haf 1405 oedd penllanw llwyddiant Owain Glyn Dŵr. Tan ei fuddugoliaeth syfrdanol ym Mryn Glas ym Mehefin 1402 cyfres o sgarmesoedd lleol digyswllt yng ngogledd a gorllewin Cymru fu'r mudiad. Ond dros y misoedd a'r blynyddoedd nesaf ymledodd y mudiad fel llanw'r môr i bob cwr o'r wlad. Bylchog a bratiog yw ein gwybodaeth

Castell Coety

yn aml iawn, ond erbyn haf 1403 prin fod cornel o Gymru gyfan nad oedd o fewn cyrraedd Glyn Dŵr a'i gefnogwyr. Mae'r dystiolaeth yn unfryd: yng Ngorffennaf 1403 cyhoeddodd swyddogion y brenin yn sir y Fflint fod trwch y boblogaeth bellach wedi ymuno ag Owain; cyn diwedd y flwyddyn roedd castell Caerdydd dan fygythiad a negeseuau brys yn cael eu hanfon i Wlad yr Haf yn erfyn ar gatrawd o filwyr i ddod i'w arbed; daeth castell Coety, un o gestyll cadarnaf a mwyaf modern bro Morgannwg, o dan warchae dwys gan y Cymry ddwywaith. Dyna'r stori bellach o bob rhan o'r wlad. Nid oes gwell tystiolaeth o hynny na dau adroddiad a dderbyniodd y brenin o fewn ychydig ddyddiau i'w gilydd ddiwedd haf 1404. Adroddai'r naill fod yr ardal o gwmpas Hwlffordd ym mhellafoedd eithaf sir Benfro bellach i'w hystyried yn 'rhan o'i wlad a oedd dan bŵer y gwrthryfelwyr' O ben arall Cymru, o'r ffin rhwng Cymru a Lloegr, y daeth yr adroddiad arall ond roedd ei neges yr un mor ysgytwol: roedd llu o filwyr Cymreig wedi herio byddin Seisnig a'i gorfodi i ffoi am ddiogelwch i gastell a thref gaerog Trefynwy. O Fôn i Fynwy ac o'r Fflint i Hwlffordd gwlad Glyn Dŵr oedd y rhan fwyaf o Gymru bellach.

Beth fedrai'r awdurdodau Seisnig ei wneud yn wyneb y fath lanw gorchfygol? Yr unig ateb oedd ceisio dal gafael ar y cestyll a'r trefi a gysgodai oddi tanynt. Dim ond llond dwrn o filwyr profiadol oedd yn gwarchod y rhan fwyaf o gestyll y gorllewin a'r gogledd ac roedd eu stoc o arfau, bwyd a diod yn prinhau o ddydd i ddydd. Pa waredigaeth oedd ar gael iddynt? Gellid codi catrawd o filwyr a'u hanfon i geisio codi'r gwarchae. Dyna oedd bwriad y fyddin sylweddol o dros fil o filwyr a anfonwyd o Gaer i Harlech ym Mehefin 1403 i geisio dwyn gwaredigaeth i gastell oedd wedi bod dan warchae ers misoedd. Gan fod y rhan fwyaf o'r cestyll

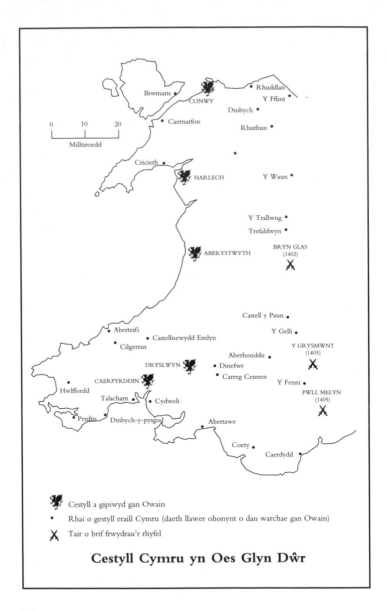

Biwmaris

Rhuddlan

CONWY

Y Fflint

Dinbych

Caernarfon

Rhuthun

0   10   20

Milltiroedd

Cricieth

HARLECH

Y Waun

Y Trallwng

Trefaldwyn

ABERYSTWYTH

BRYN GLAS
(1402)
X

Castell y Paun

Aberteifi

Y Gelli

Castellnewydd Emlyn

Cilgerran

Y GRYSMWNT
(1405)
X

Aberhonddu

DRYSLWYN

Dinefwr

Carreg Cennen

CAERFYRDDIN

Y Fenni

Hwlffordd

PWLL MELYN
(1405)
X

Talacharn

Cydweli

Penfro

Dinbych-y-pysgod

Abertawe

Coety

Caerdydd

Cestyll a gipiwyd gan Owain

• Rhai o gestyll eraill Cymru (daeth llawer ohonynt o dan warchae gan Owain)

X Tair o brif frwydrau'r rhyfel

Cestyll Cymru yn Oes Glyn Dŵr

yn y gogledd ar yr arfordir, gellid comisiynu llynges fechan i gludo nwyddau, arfau a milwyr iddynt. Dyna a ddigwyddodd yn hydref 1403 pan aeth llynges fechan o Gaer i Fiwmaris i ddwyn cysur a chymorth i'r criw bychan oedd yn ceisio dal gafael ar y castell.

Dim ond un ateb arall oedd gan y llywodraeth yn Lloegr wyneb yn wyneb â'r sefyllfa ddifrifol yng Nghymru. Yr ateb hwnnw oedd anfon byddin i'r wlad o dan arweiniad y brenin gan obeithio y byddai hynny ynddo'i hun yn ddigon i wneud i'r Cymry sylweddoli mai ofer, yn y tymor hir, oedd ceisio gwrthsefyll grym Lloegr. Dyna oedd bwriad Harri IV pan aeth unwaith eto ar ymgyrch o Amwythig i ogledd Cymru ym Medi 1402. Dichon ei fod wedi creu ofn a dychryn; gwyddom fod y fyddin wedi dinistrio ac ysbeilio Llanrwst. Ond tila iawn oedd y canlyniadau a dychwelodd y fyddin yn waglaw ac yn llawn atgofion chwerw am stormydd a glawogydd Cymru. Dychwelodd Harri IV i Gymru ym Medi 1403, gan arwain byddin y tro hwn o Henffordd heibio i Aberhonddu ac i Gaerfyrddin. Ond nid oedd unrhyw obaith y byddai ymgyrch a barodd lai na phythefnos gwta yn debyg o drawsnewid y sefyllfa oedd ohoni yng Nghymru. Ac felly y bu.

Hon oedd ymgyrch olaf Harri IV i Gymru; trosglwyddodd y cyfrifoldeb o adennill awdurdod y Saeson dros y wlad i'w fab, y tywysog Harri. Ond er bod dyfodol milwrol disglair eithriadol o flaen Harri – ef a drechodd y Ffrancwyr ym mrwydr enwog Agincourt ym 1415 – ni chafodd yntau fawr o lwyddiant yn erbyn y Cymry. Nid oedd Cymru'n wlad lle y gallai byddinoedd trwm a thrwsgl Lloegr ennill buddugoliaeth. Disgwyl i'r Cymry golli eu momentwm – a hynny oherwydd newyn a diffyg arfau – oedd polisi'r Saeson yng Nghymru bellach.

Roedd hyder y Cymry'n tyfu o ddydd i ddydd. Nid oeddent bellach yn fodlon ar geisio cipio rhai o brif gestyll Cymru. Eu prif angen oedd bwyd i'w cynnal dros y gaeafau geirw yng Nghymru. A lle gwell i gael stôr o fwyd na thrwy ymosod ar frasdiroedd gorllewin swydd Amwythig a swydd Henffordd, llosgi'r tai a chipio'r anifeiliaid a'r grawn? Roedd trigolion Caer, Amwythig a Henffordd yn troi a throsi yn eu gwelyau wrth feddwl pa mor agos oedd y Cymry gwrthryfelgar bellach at eu trefi. Does ryfedd yn y byd fod trigolion Llanllienni (Leominster) wedi mynd ati ar frys i agor ffosydd a chodi muriau o gwmpas eu tref.

O fewn Cymru ei hun roedd y drefn Seisnig wedi dadfeilio bron yn llwyr y tu hwnt i ffiniau'r cestyll a'r trefi caerog. Nid oedd rhenti na threthi'n cael eu casglu mwyach; nid oedd y llysoedd ychwaith yn cael eu cynnal. Arwydd clir o fethiant y drefn Seisnig i ddal ei gafael ar y wlad oedd penderfyniad llawer o gymunedau ac unigolion yng Nghymru i daro eu bargen eu hunain gydag Owain a'i ddilynwyr. Prynu heddwch oedd y bwriad: talu trethi sylweddol i Owain i'w berswadio i beidio ysbeilio eu hardaloedd. Mewn gair, talu *protection money* i'r *Godfather* Cymreig. Nid oedd angen gwell tystiolaeth o lwyddiant Owain a'r ofn a greodd ar draws Cymru na'r bargeinio lleol hyn. Ac i Owain ei hun yr oedd hon yn ffynhonnell dderbyniol iawn o arian parod.

Nid *guerrilla* ar ffo oedd Owain bellach ond arweinydd milwrol a fedrai gynllunio ei symudiadau ar draws Cymru gyfan a galw ar fyddin sylweddol i wireddu'r cynlluniau hynny. Cawn gip cwbl anarferol, ac yn wir unigryw, ar Owain yn nyddiau ei lwyddiant milwrol mawr mewn cyfres o lythyrau dramatig a ysgrifennwyd ganddo yn Aberhonddu a Dyffryn Tywi yn ystod wythnos gyntaf mis Gorffennaf 1403. Owain y cadfridog meistrolgar ac uchelgeisiol yw'r gŵr a welwn.

Ddechrau'r mis lledodd y si i Ddyffryn Tywi fod Aberhonddu dan warchae gan y Cymry. Roedd hynny'n ddigon o sbardun i drigolion y dyffryn droi cefn ar yr awdurdodau Seisnig a chyhoeddi eu bod hwythau bellach i'w cyfrif ymhlith cefnogwyr Owain. Yn arbennig felly pan ddaeth y newydd fod yr arweinydd ei hun a'i fyddin luosog ar fin cyrraedd Dyffryn Tywi. Felly y bu. Cyrhaeddodd Owain Lanymddyfri ar flaen ei fyddin ar 3 Gorffennaf. Ei gam cyntaf oedd mynnu bod bonheddwyr a gwerin y fro yn tyngu llw iddo a'i gydnabod fel gwir dywysog Cymru. Beth bynnag oedd statws arweinwyr lleol yn yr ardal, roedd Owain am osod stamp ei awdurdod yn gwbl glir ar y mudiad oedd yn dwyn ei enw. Yna, wedi gadael llu o 300 i osod castell Dinefwr dan warchae, teithiodd yn ei flaen tua Llandeilo. Yno eto daeth bonedd a gwreng y fro ato a phlygu glin ger ei fron a'i gydnabod yn dywysog Cymru. Ni allai'r swyddogion Seisnig hyd yn oed wadu bellach nad oedd y llanw Cymreig yn gorlifo dros yr ardal. 'Mae Cymry'r fro,' meddai un adroddiad, 'ar wahân i ddyrnaid bychan, bellach yn ei gefnogi ac yn tyngu llw iddo.'

Dewis Owain, ar ôl cyrraedd Llandeilo, oedd naill ai dychwelyd i fyny Dyffryn Tywi ac ailafael yn y gwarchae ar Aberhonddu, ynteu fwrw yn ei flaen i'r gorllewin tua Chaerfyrddin. Wedi profi'r croeso brwd a gafodd gan werin Dyffryn Tywi, ac yn y gobaith y byddai cestyll Dinefwr a Dryslwyn yn ei feddiant o fewn ychydig ddyddiau, mentrodd tua Chaerfyrddin. Byddai cipio Caerfyrddin yn bluen go iawn yn ei het. Bu Caerfyrddin yn ganolfan Seisnig ers yn agos i dri chan mlynedd ac oddi yno y gweinyddid siroedd Caerfyrddin ac Aberteifi ar ran llywodraeth Llundain. Pe bai Owain yn llwyddo i gipio Caerfyrddin gallai honni mai ef bellach oedd yn llywodraethu de-orllewin Cymru. Ond roedd rheswm arall dros aros yn Nyffryn Tywi. Fel pob byddin yn y canoloesoedd, byddin yn byw a bwydo oddi ar y wlad oedd byddin Glyn Dŵr. Wedi moelni a chyni canolbarth Cymru byddai braster Dyffryn Tywi wedi tynnu dŵr i ddannedd milwyr llwglyd Owain. 'Mae pob tŷ yn yr ardal yn llawn o fêl, gwenith, ffa, gwin a ieir, ac yn wir o bob math o fwydydd', oedd sylw cwnstabl castell Dinefwr. Dyma gyfle gwych, felly, i fyddin Owain wledda ac ailstocio ar gyfer y cam nesaf o'r ymgyrch.

Nid oedd amheuaeth bellach nad oedd Owain yn arweinydd mudiad cenedlaethol ac yn cynllunio ei strategaeth felly. Un arwydd o hynny oedd maint ei fyddin. Ychydig iawn a wyddom am fyddin Glyn Dŵr; y mae felly'n arwyddocaol iawn fod un sylwedydd o Sais wedi amcangyfrif bod gan Owain fyddin o dros wyth mil o filwyr yn ystod haf 1403. Dichon fod tipyn o or-ddweud yn yr amcangyfrif, ond hyd yn oed os cwtogwn y ffigwr yn sylweddol erys yn un o'r byddinoedd brodorol Cymreig mwyaf y gwyddom amdani.

Prawf arall o raddfa genedlaethol y fenter bellach oedd cefndir capteiniaid y fyddin fawr hon yn Nyffryn Tywi yn haf 1403. Mae tri yn arbennig yn haeddu sylw. Y cyntaf oedd Rhys Ddu o Aberteifi, cyn-siryf Ceredigion. Mae'r ffaith fod gŵr o'i safle a'i gefndir ef bellach yn rhengoedd Glyn Dŵr yn dangos pa ffordd yr oedd y gwynt yn chwythu. Gŵr a fu'n un o bileri'r drefn Seisnig yng Ngheredigion oedd bellach yn un o arweinwyr byddin Owain yn yr ymosodiad ar Gaerfyrddin. Ysgwydd yn ysgwydd â Rhys Ddu safai gŵr arall o'r un math o gefndir. Cyn-brif swyddog arglwyddiaeth Cydweli oedd Gwilym

Gwyn ap Rhys Llwyd, ond pan ddaeth awr y dewis, roedd gafael ei gydwybod a'i ddychymyg fel Cymro yn gryfach na'i gof am ei flynyddoedd o wasanaeth i Ddug Lancaster, pennaf farwn Lloegr ac arglwydd Cydweli. Rhys Gethin oedd y trydydd cadfridog a wasanaethodd Owain yn ystod gwarchae Caerfyrddin. Gŵr o Ddyffryn Conwy oedd Rhys Gethin; mae beddrod ei frawd, Hywel Coetmor, i'w weld hyd heddiw yn eglwys Llanrwst. Gŵr o dras oedd Rhys a gŵr o brofiad milwrol helaeth; gŵr hefyd yr oedd geiriau chwerw'r bardd yn dal i atsain yn gryf yn ei glustiau:

Lle bu'r Cymry, Saeson sydd
A'r boen ar Gymru beunydd.

Pa feddyginiaeth well i'r 'boen' honno na gwasanaethu ym myddin gwir dywysog Cymru a'i helpu i gipio castell Caerfyrddin?

Ar gof gwlad, Rhys Gethin oedd un o arwyr mawr rhyfel Owain. Cronnodd chwedlau o'i gwmpas; ef oedd Che Guevara'r gwrthryfel. Ond yr hyn sydd yn arwyddocaol i ni am y tri gŵr hyn — Rhys Ddu, Gwilym Gwyn a Rhys Gethin – yw eu bod hwy, gwŷr o fri ac amlygrwydd yn eu broydd a gwŷr yr oedd y llywodraethwyr Seisnig yn dibynnu arnynt i gadw trefn yng Nghymru, bellach wedi pledio eu teyrngarwch i Owain ac yn fodlon teithio o Ddyffryn Conwy ac Aberteifi a Chydweli i'w wasanaethu. Roedd eu teyrngarwch iddo'n llwyr a diamod. Rhyw ddydd byddai'n rhaid iddynt dalu am hynny: bu farw Gwilym Gwyn wrth amddiffyn castell Aberystwyth ar ran Owain, a thalodd Rhys Ddu y gosb eithaf pan grogwyd ef gan y brenin yn Llundain.

Ond awr buddugoliaeth oedd hi ar hyn o bryd, nid awr i boeni am gost methiant. Ddydd Gwener, 6 Gorffennaf 1403, ildiwyd castell a thref Caerfyrddin i

Owain. Roedd Castellnewydd Emlyn eisoes yn ei feddiant. O fewn ychydig ddyddiau ymosododd Harri Dwn, un arall o gapteiniaid Owain, ar dref a chastell Cydweli, castell gyda'r cadarnaf yn ne Cymru. Nid ildiodd y castell iddo ond llosgwyd rhan helaeth o'r dref. Mae ple daer cwnstabl Cydweli i'r brenin yn cyfleu'r awyrgylch o ofn ac anobaith oedd bellach wedi meddiannu cynifer o drefi bychain Cymru:

> Mae sawl un o drigolion yr ardal wedi ffoi gyda'u gwragedd a'u plant i Loegr; mae'r gweddill o fewn y castell yn byw mewn ofn am eu bywydau. Trefnwch help i'n harbed ar unwaith neu fe ddinistrir y castell a'i drigolion yn llwyr ac am byth.

Dichon fod tipyn o or-ddweud hysterig yn y llythyr; ond hawdd deall mor anobeithiol yr ymddangosai'r rhagolygon. Llosgwyd tref Cydweli eto gan y terfysgwyr yn Awst 1404. Cyn diwedd y flwyddyn honno roedd dau o gestyll mwyaf grymus y gorllewin – Harlech ac Aberystwyth – wedi syrthio i feddiant Owain. Yn aml, dim ond dal gafael ar gastell a gipiwyd ganddo am ychydig ddyddiau neu wythnosau y byddai Owain: dyna a ddigwyddodd yng Nghonwy ym 1401 ac yng Nghaerfyrddin ym 1403. Ond gwahanol oedd ei agwedd tuag at Aberystwyth a Harlech. Cadwodd Owain ei afael yn dynn ar y ddau gastell hyn a'u troi'n ganolfannau milwrol a seremonïol i'w dywysogaeth newydd. Yn y rhain gallai Owain gynnal llys a oedd yn gweddu i dywysog, ac i Harlech y galwodd gynrychiolwyr o bob rhan o Gymru i gyfarfod o'i senedd ganol haf 1405.

Roedd haul Owain yn anterth ei ffurfafen erbyn hynny. Cawn weld yn y bennod nesaf fel yr oedd yn ennill cefnogaeth o bob cyfeiriad, nid yn unig o fewn Cymru ei hun ond o Loegr a Ffrainc. Bellach gallai amlinellu ei bolisïau ar gyfer y Gymru Newydd yr oedd yn ei fryd ei chreu; fe ddychwelwn at y rheini yn y man. Roedd ganddo ei ganghellor, ei ysgrifennydd a'i sêl gyfrin fel pob gwladweinydd arall o bwys. Nid breuddwyd oedd y teitl 'tywysog Cymru' bellach; roedd y freuddwyd ar fin cael ei gwireddu. Os oedd misoedd o gyffro a gobaith erioed yn hanes Cymru, misoedd haf 1405 oedd y rheini.

Ond ni ddylai rhwysg teitl a llwyddiant rhyfel ein camarwain. Blynyddoedd o galedi a chyni eithriadol i drwch helaeth pobl Cymru oedd y blynyddoedd hyn. Braf oedd cael gwared o ormes y Saeson a'u gwanc diddiwedd am arian, ond yn eu lle daeth yr ansicrwydd a'r caledi sy'n rhan anorfod o fywyd y rhai sy'n byw dan gysgod rhyfel. Llosgi, rheibio, dial, herwgipio: dyna oedd tactegau Owain Glyn Dŵr a thactegau ei elynion. Gadawsant greithiau eu hymgyrchoedd yn ddwfn ar draws Cymru ac yn ddyfnach fyth yng nghof cenedlaethau'r dyfodol.

Rheibiwr, llosgwr a dialwr didrugaredd oedd y cof a feithrinwyd am Owain mewn llawer rhan o Gymru. Cofid amdano fel yr un oedd wedi dienyddio trigain o filwyr Seisnig ar y lawnt gyferbyn â chastell Maesyfed, neu fel yr un oedd wedi claddu Hywel Sele yn fyw mewn ceubren yn Nannau. Nid oes raid inni gredu'r storïau hyn, ond maent yn arwydd o'r cof gwlad am Owain. Tebyg yw'r straeon ei fod wedi dinistrio trefi a melinau'n fwriadol fel na allai'r Saeson fwydo eu hunain pan oeddent yn ymgyrchu yng Nghymru. Dyma'r hyn y bydd strategwyr ein hoes ni yn ei alw'n bolisi o losgi'r ddaear (*scorched earth policy*). Ceir adlais ohono yn nisgrifiad enwog Syr John Wynn o Wydir a ysgrifennai tua 1600:

Owain Glyn Dŵr's wars... brought such a desolation that green grass grew on the market-place in Llanrwst called Bryn y boten... for it was Glyn Dŵr's policy to bring all things to waste, so that the English should find no strength nor resting-place in the country.

Nid barn chwerw Syr John Wynn yn unig oedd y fath ddatganiad. Pan aeth yr Esgob Richard Davies ati i gyfieithu'r Testament Newydd i'r Gymraeg ym 1567, nid oedd ganddo yntau ychwaith ronyn o amheuaeth am effaith dinistriol y gwrthryfel:

Pa ddistryw ar lyfrau a gafodd Cymru oddiwrth rhyfel Owain Glyn Dŵr hawdd yw deall oddiwrth y trefi, esgobdai, mynachlogydd a'r temlau a losgwyd trwy Gymru oll y pryd hynny.

Ddeng mlynedd ar hugain cyn hynny pan aeth John Leland, yr hynafiaethydd, ar grwydr trwy Gymru sylwodd dro ar ôl tro ar gyflwr difrifol y cestyll a'r trefi, a rhoddodd y bai yn llwyr ar Owain: 'Montgomery deflowered by Owen Glyn Dŵr', 'Radnor partly destroyed by Glyn Dŵr', ac yn y blaen.

Dichon fod yr awduron hyn i gyd yn gor-ddweud i raddau ac yn priodoli i Owain bob adfeilio oedd wedi digwydd dros y ganrif a hanner yn dilyn y gwrthryfel. Ond nid oes lle i amau na fu dinistrio enbyd; mae'r cofnodion cyllidol yn dangos hynny'n eglur ddigon. Nid oes lle ychwaith i amau nad oedd hyn yn bolisi bwriadol ar ran Glyn Dŵr. Pa ffordd well oedd ar gael i ddychryn y Saeson a'u gorfodi i ildio? Sut y gallai fwydo ei filwyr heb reibio nwyddau a chnydau?

Ond mae ochr arall i'r geiniog. Nid Owain yn unig oedd â'i fryd ar ysbeilio a dinistrio. Dyna'n union hefyd oedd polisi'r byddinoedd o Loegr a ddaeth i Gymru. 'Mae'r arglwydd frenin,' meddai un gohebydd, 'wedi cyhoeddi "dinistriwch" (havoc) trwy Gymru gyfan.' A dyna ddigwyddodd. Ymhlith eu targedau yr oedd abaty Ystrad Fflur a Thŷ'r Brodyr Llwydion yn Llan-faes (Sir Fôn), ac er gwaetha'r hyn a ddywedodd Syr John Wynn, mae'n fwy na thebyg mai byddin y brenin fu'n gyfrifol am losgi tre Llanrwst – tre gwbl Gymreig heb gastell Seisnig i'w gwarchod. Cawn gipolwg llachar ar dactegau'r Saeson mewn llythyr a anfonodd y Tywysog Harri at ei dad, y brenin Harri IV, ym Mai 1403. Gwyddai Harri fod castell Harlech dan warchae dwys gan y Cymry ers wythnosau a bod Glyn Dŵr ei hun â'i fryd ar arwain ei fyddin i ganolbarth Cymru ac ar yr ymgyrch i Ddyffryn Tywi. Dyma gyfle iddo yntau daro'n ôl. Ei darged cyntaf oedd Sycharth. Yno llosgodd i'r llawr lys enwog Glyn Dŵr a'r tai o'i gwmpas. Oddi yno croesodd y Berwyn tua Glyndyfrdwy, lle llosgodd dŷ arall Glyn Dŵr, ysbeilio yr ystad o'i gwmpas, llosgi a dinistrio cnydau a dienyddio rhai o ddilynwyr Owain (gan anwybyddu cynnig un ohonynt i dalu £500 i arbed ei fywyd). Dychwelodd i Amwythig yn fodlon iawn ar ei gamp ac ar frys i dorri'r newydd mewn llythyr at ei dad.

Cafodd trigolion Glyndyfrdwy a'r cylch flas chwerw iawn o gost rhyfel yn ystod mis Mai 1403. Tua'r un adeg yr oedd trigolion tref Aberhonddu yn cael yr un profiad, ond oddi ar law'r Cymry yn eu hachos hwy. Mae'r dystiolaeth yn ddigonol inni allu creu darlun o Aberhonddu ar draws y misoedd hyn a thrwy hynny gael cipolwg ar yr hyn a olygai gwrthryfel i bobl gyffredin Cymru.

Tre fasnach fechan lwyddiannus o tua 500–800 o drigolion oedd Aberhonddu. Sefydlwyd hi pan goncrwyd yr ardal ddechrau'r ddeuddegfed ganrif a thyfodd y dref yng nghysgod y castell. Saeson a Ffrancwyr oedd trigolion

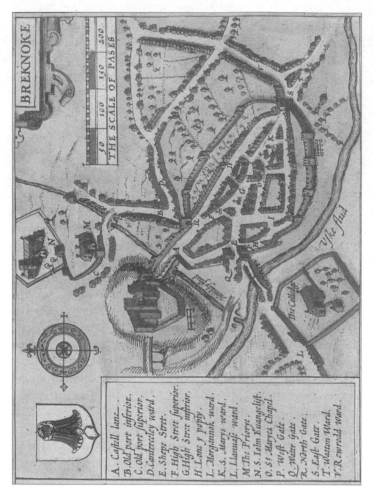

BREKNOKE

THE SCALE OF PASES
50   100   150   200

The Hud

The Colledge

A. Castell lane.
B. Old port inferior.
C. Old port superior.
D. Canterecley ward.
E. Shepe Stret.
F. High Stret superior.
G. High Stret inferior.
H. Lone y porth.
I. Morganuak ward.
K. S. Marys ward.
L. Llanvaff ward.
M. The Priorye.
N. S. Iohn Euangelyst.
O. St Marys Chapel.
P. Weft Gate.
Q. Water Gate.
R. North Gate.
S. Eaft Gate.
T. Watton Ward.
V. Rewrodd Ward.

Darlun o'r dre o lyfr John Speed, 1610. Dengys furiau'r dre, ei heglwysi a'r castell ar ei chyrion.

cynnar y dref ac ym 1400 roedd trwch poblogaeth y dref yn dal i ddwyn enwau Seisnig megis Harvard, Skolle, Churchesdon a Chess. Ond dros y cenedlaethau ymgartrefodd nifer dda o Gymry yn y dre, rhai ohonynt yn berchen ar ystadau sylweddol y tu allan i'r dref yn ogystal â thai o'i mewn. Yn eu plith yr oedd dau enw y mae'n werth i ni ddal gafael arnynt – Dafydd ap Hywel Fychan ap Hywel ap Dafydd, a Thomas ap David. Byddai Dafydd a Thomas wedi cyfarfod yn aml ar strydoedd y dre a chael sgwrs felys â'i gilydd yn Gymraeg , ond cyn bo hir byddai sialens yn codi a rwygai eu cyfeillgarwch yn llwyr. Cawn eu cyfarfod eto yn y man.

Roedd Aberhonddu yn dref fechan brysur ym 1400 ac yn ganolfan i ardal eang, arglwyddiaeth Brycheiniog. Castell Aberhonddu oedd canolfan weinyddol yr arglwyddiaeth: yno y cynhelid y llysoedd cyfraith ac i'r coffrau yn y castell y byddai swyddogion yr arglwydd yn casglu ceiniogau prin y werin. Dyddai arglwydd Brycheiniog – un o brif ieirll Lloegr – yn ymweld â'r castell bob hyn a hyn a thrwy hynny'n atgoffa gwŷr y fro mai rhan o'i ystadau ef bellach oedd Brycheiniog, nid gweddillion hen dywysogaeth frodorol Gymreig. Roedd Aberhonddu hefyd yn ganolfan grefyddol i fro helaeth. Roedd tair eglwys nodedig yno: priordy Benedictaidd Ioan Sant (lle saif yr eglwys gadeiriol heddiw) yng nghesail y castell; tŷ'r Brodyr Duon ar draws afon Honddu yn Llan-faes, cartref ysgol fonedd bellach; ac eglwys y Santes Fair, eglwys y bwrdeisiaid eu hunain, yng nghanol y dref. Byddai pererinion yn dod o bell ac agos i Aberhonddu i ymweld â'r crocbren enwog yno neu i ymuno yn y dathliadau blynyddol o gwmpas creirfan y Santes Elyned. Ond yr hyn a ddygai trigolion Brycheiniog i Aberhonddu o wythnos i wythnos oedd nid yn gymaint yr eglwysi â'r marchnadoedd a'r ffeiriau bywiog.

Roedd llewyrch ar fywyd yn Aberhonddu ym 1400. Roedd y Cymry a'r Saeson yn cyd-fyw'n gytûn, ac os oedd unrhyw un yn teimlo'n nerfus, byddai cadernid y castell enfawr a chryfder y waliau a amgylchynai cnewyllyn y dref yn rhoi tawelwch meddwl. Nid oedd cyffro ymhlith trigolion Aberhonddu pan ddaeth y newyddion cyntaf am ymosodiadau cynnar Owain Glyn Dŵr ym 1400–1. Roedd gogledd Cymru yn bell i ffwrdd ac nid oedd rheswm dros gymryd llawer o sylw o'r trafferthion lleol yno. Brwydr Bryn Glas ym Mehefin 1402 oedd y trobwynt yn Aberhonddu fel mewn sawl rhan arall o Gymru. Ni ellid anwybyddu buddugoliaeth mor ysgubol i'r Cymry, a hynny yng nghanolbarth Cymru. O fewn mis anfonwyd catrawd o 240 o filwyr – a phob un ohonynt yn benodol i fod yn Sais – i'r dre.

Am y tair blynedd nesaf bu trigolion Aberhonddu'n byw ar eu nerfau, mewn ofn parhaol y byddai'r Cymry'n ymosod ar y dref. Roedd yr ofn gymaint yn fwy oherwydd mai tref yng nghanol y wlad oedd Aberhonddu; ni ellid anfon llynges yn cario milwyr ac adnoddau i'w harbed fel y gwnaethpwyd yn rheolaidd gyda chestyll y gogledd a'r gorllewin. Erbyn dechrau Gorffennaf 1403 roedd y dref dan warchae gan y Cymry, ac amddiffynwyr y dref yn ofni'r gwaetha. 'Mae'r terfysgwyr o fewn cyrraedd y dre', meddai John Fairford, un o brif swyddogion yr ardal, mewn llythyr at y brenin, 'ac mae yn eu bwriad i ddinistrio a llosgi'r wlad o amgylch... Mae trigolion Cymreig yr ardal yn gwbl gefnogol i'w bwriadau.' Ac i bwysleisio difrifoldeb y sefyllfa a'r angen dybryd am help ychwanegodd Fairford nodyn hysterig wrth droed y llythyr: 'wedi ei ysgrifennu yn Aberhonddu am hanner nos'. Oriau a dyddiau o ofn affwysol oedd y rhain i drigolion y dref. A oedd hi, a hwythau, ar fin disgyn i ddwylo'r gwrthryfelwyr? Ond fe'u harbedwyd am y tro pan ddaeth siryf swydd Henffordd â chatrawd o filwyr o'r sir i fyny dyffryn afon Wysg a threchu'r lluoedd Cymreig mewn brwydr waedlyd.

Arbedwyd Aberhonddu o drwch blewyn ddechrau mis Gorffennaf 1403 ac, fel y gwelsom, aeth Glyn Dŵr a'i fyddin tua Dyffryn Tywi a Chaerfyrddin. Ond tre nerfus yn byw ar bigau'r drain oedd hi dros y misoedd nesaf, yn byw mewn ofn o warchae arall ac o ddiffyg bwyd ac arfau i wynebu'r gaeaf. Hawdd dychmygu'r rhyddhad pan benderfynodd y brenin anfon catrawd enfawr o 400 o filwyr i amddiffyn y dre a'r castell, a'r un mor dderbyniol oedd gweld y wageni'n cyrraedd y dref yn Chwefror 1404 yn cludo chwe chanon, ugain pwys o bowdwr saethu, a 42 o darianau. Tre filwrol o dan lywodraeth cadfridog o Sais oedd Aberhonddu bellach yn hytrach na thref fasnach.

Profiad trawmatig oedd rhyfel Glyn Dŵr i Aberhonddu a'i thrigolion yn ddiamau. Llosgwyd a difethwyd llawer o'r ardal a'r maestrefi llewyrchus o gwmpas y dref. Ni chynhelid na ffair na marchnad mwyach. Bu'n rhaid i'r trigolion wario eu ceiniogau ar atgyfnerthu muriau'r dre a llogi milwyr. Does ryfedd fod un dinesydd, William fitz Jankyn Harvard, yn honni fod y rhyfel wedi dinistrio ei fusnes yn llwyr a chostio dros £2,000 (swm enfawr mewn arian cyfoes) iddo mewn colledion.

Ar ben hynny, rhwygwyd y dref yn ddwy rhwng y rhai a gefnogai'r gwrthryfel a'r rhai a'i gwrthwynebai i'r eithaf. I'r garfan gyntaf y perthynai Dafydd ap Hywel Fychan ap Hywel ap Dafydd. Bu tad Dafydd yn flaenllaw yng ngweinyddiaeth Brycheiniog a chafodd feddrod ym mhriordy Aberhonddu. Perthynas arall iddo oedd Dafydd Gam, un o wrthwynebwyr mwyaf penboeth Owain Glyn

Dŵr a gŵr y down ar ei draws eto. Ond pan ddaeth yn fater o ddewis yn haf 1403 penderfynodd Dafydd ap Hywel Fychan fod ei deyrngarwch fel Cymro'n bwysicach iddo na'i ffyddlondeb i Aberhonddu a'i gyd-fwrdeisiaid yno. Rhoddodd ei gefnogaeth i Owain Glyn Dŵr a thalodd y pris – fforffedwyd ei eiddo yn Aberhonddu.

Bu penderfyniad Dafydd yn ergyd farwol i'r cyfeillgarwch oedd rhyngddo ef a Thomas ap David. Pwy, felly, oedd Thomas? Cymro, mae'n amlwg, yn ôl ei enw, ond gŵr a oedd wedi'i uniaethu ei hun a'i argyhoeddiadau yn llwyr gyda thrigolion Aberhonddu. Eisoes cyn y rhyfel ef oedd prif swyddog y dref. Nid oedd gŵr mwy uchel ei barch ynddi nag ef. Ac nid oedd ganddo yntau ronyn o amheuaeth ymhle y gorweddai ei deyrngarwch ym merw'r rhyfel. Gwariodd bob ceiniog a phob dawn oedd ganddo i amddiffyn y dre. Difethwyd ei fusnes yn llwyr. Ond fe gafodd ei wobr, a hynny sawl gwaith trosodd. Pleser ganddo oedd dangos i'w gymdogion, pan ddychwelodd heddwch i'r dref, y llythyr personol a gafodd gan y brenin yn canmol i'r cymylau 'ei lafur di-arbed a'i ymroddiad llwyr' i lywodraeth y dref dros gyfnod o bum mlynedd. Ac nid geiriau teg yn unig a gafodd: fe gafodd bardwn o'i holl ddyledion gan y brenin yn ogystal â blwydd-rodd hael. Unwaith y ciliodd y gwrthryfel o'r fro ailafaelodd yn ei swydd fel prif swyddog y dre, a bu ei fusnes mor llewyrchus fel y gallai roi benthyg arian i'r brenin Harri V.

Dameg yw'r ddau ddewis cwbl wahanol a wnaeth Dafydd ap Hywel a Thomas ap David o'r hyn oedd yn digwydd ar draws Cymru gyfan – rhwygo cyfeillion a rhannu teuluoedd. Dyma bris gwrthryfel bob amser. Gwell gan y mwyafrif, yn yr oes honno fel yn ein hoes ni, beidio dewis. Ond daw amser mewn rhyfel a gwrthryfel fel ei gilydd pan na ellir gohirio dewis. Roedd yr amser hwnnw wedi cyrraedd Aberhonddu erbyn haf 1403. Nid oedd modd anwybyddu sialens Owain Glyn Dŵr bellach. I'r rhai oedd yn ei erbyn, rhaid oedd aberthu popeth er diogelu'r drefn Seisnig yng Nghymru, gan obeithio y byddai'r rhyfel yn chwythu ei blwc cyn bo hir ac y byddai'r brenin, yn y cyfamser, yn gwrando ar eu hymbilio taer am help. Gŵr o'r anian hwnnw oedd Thomas ap David. I eraill, y sialens eithaf i'w gwlatgarwch oedd llwyddiant Owain. Rhaid oedd iddynt hwythau, bellach, fel yntau, fentro popeth. Rhaid oedd iddynt gredu bod y freuddwyd o Gymru rydd o fewn eu cyrraedd a bod yn barod i aberthu i'r eithaf trosti. Dyna oedd penderfyniad Dafydd ap Hywel. Dyna'r rhwyg drwy Gymru gyfan bellach. Dyna fesur y pellter yr oedd mudiad Owain wedi teithio rhwng ei gychwyn yng Nglyndyfrdwy ym Medi 1400 a'i anterth ym mlynyddoedd y penllanw rhwng 1402 a 1405. Bellach roedd rhyfel Owain yn her i bob Cymro ar draws Cymru benbaladr; nid oedd dianc rhagddo.

Pennod 4
Cyfeillion a Chefnogwyr

Rhyfel Glyn Dŵr oedd y mudiad sy'n dwyn ei enw, a hynny o'i ddechrau i'w ddiwedd. Dyna un o'r rhyfeddodau amdano. Wedi'r cyfan, gwlad ranedig fu Cymru erioed, yn ddaearyddol ac yn wleidyddol. Ofer fu ymdrechion tywysogion mawr y gorffennol – megis Llywelyn Fawr a Llywelyn ap Gruffudd – i greu un wlad ac un wladwriaeth ohoni. Nid oedd ganddi ganolfan wleidyddol na thraddodiad o undod. Ar un olwg nid oedd lle i gredu bod y sefyllfa'n wahanol yn oes Glyn Dŵr. Pam y dylai gwŷr Gwynedd a Deheubarth, heb sôn am Went a Morgannwg, gydnabod blaenoriaeth a hawl gŵr o Bowys? Pam y dylai arweinwyr lleol – megis Rhys a Gwilym ap Tudur ym Môn neu Harri Dwn yng Nghydweli – blygu glin i sgweier Sycharth a Glyndyfrdwy?

Ni chawn byth wybod yr ateb yn llwyr. Dichon fod y teimlad gwrth-Seisnig yng Nghymru – y gynddaredd yn erbyn eu rhagorfreintiau cyfreithiol a'u monopolïau masnachol, a'r casineb a enynnwyd gan eu gwanc cyllidol – mor ysol fel y gallai unrhyw arweinydd sianelu'r teimlad hwn i hyrwyddo ei achos. Ai dyna a wnaeth Glyn Dŵr – troi dicter gwrth-Seisnig y Cymry i'w felin ei hun? Neu a oedd ei gefnogwyr yn credu mai ef, yn wir, oedd gwir ac unig dywysog Cymru? Ynteu a oedd ganddo ryw garisma personol rhyfeddol i dynnu pobl i'w ddilyn – fel yr oedd gan Lloyd George ganrifoedd yn ddiweddarach? Ni allwn ond dyfalu.

Ond mae un peth yn amlwg: erbyn 1403–4 roedd

Owain Glyn Dŵr wedi ennill cefnogaeth, ac yn aml ymroddiad, nifer fawr o Gymry a hynny o bob dosbarth a chefndir ac o bob rhan o Gymru. Dyfnder y gefnogaeth hon, yn gymaint bob blewyn â rhychwant eang ei lwyddiannau milwrol, a drawsnewidiodd mudiad lleol a rhanbarthol sgweier Sycharth yn wrthryfel cenedlaethol gyda'r bwriad o greu Cymru newydd, wahanol.

Gadewch i ni weld yn frysiog sut fath o bobl a roddodd eu cefnogaeth iddo. Ymysg ei gefnogwyr mwyaf selog yr oedd gwŷr yr eglwys. Symbol o hynny oedd presenoldeb deon Llanelwy yn y 'cyfarfod sefydlu' yng Nghlyndyfrdwy ym Medi 1400. Roedd cefnogaeth y grŵp hwn yn allweddol bwysig i Owain. Hwy oedd arweinwyr ysbrydol a meddyliol eu hardaloedd. Byddai eu presenoldeb hwy'n rhoi sêl bendith yr eglwys – neu o leiaf rhai eglwyswyr – i fudiad Owain. Byddai hefyd yn rhoi cefnogaeth gwŷr oedd wedi cael addysg ysgol a phrifysgol ac a oedd, felly, yn meddu ar y gallu i fynegi breuddwydion Glyn Dŵr mewn geiriau caboledig a dogfennau gafaelgar.

Un o'r mwyaf blaenllaw o'r gwŷr eglwysig hyn oedd Sion Trefor, esgob Llanelwy. Pan drosglwyddodd ef ei deyrngarwch i Owain rywdro yn ystod 1404, dichon fod llawenydd mawr yn rhengoedd y Cymry. Dyma Gymro oedd wedi cael addysg heb ei hail – roedd yn ddoethor mewn cyfraith ganon a sifil, yn ŵr a oedd wedi bod yn flaenllaw yng ngwasanaeth y Pab a brenin Lloegr. Dyma ŵr a fu'n llysgennad ar ran Harri IV ac a oedd wedi dal swyddi hynod gyfrifol ar ei ran. Ond roedd ochr arall i gefndir yr Esgob Sion: roedd yn ddyn o dras gwbl Gymreig, yn noddwr beirdd, ac yn ŵr â'i glust yn glòs at yr hyn oedd yn digwydd yng Nghymru. Arwydd pendant o hynny oedd y rhybudd a roddodd yn gynnar i'r Saeson i beidio cymryd protestiadau'r Cymry'n ysgafn. Mae'n siŵr fod y tyndra ym mywyd Sion Trefor – rhwng gwas uchelgeisiol brenin Lloegr a'r eglwys ar y naill law a'r Cymro diwylliedig, twymgalon ar y llaw arall – wedi dirdynnu ei enaid yn ystod blynyddoedd cynnar rhyfel Glyn Dŵr. Erbyn 1403–4 rhaid oedd torri'r ddadl.

Ni fu recriwt pwysicach i achos Owain. Dyma ŵr o addysg eang a phrofiad arbennig. Pwy'n well i fynd yn llysgennad ar ran Owain at frenin Ffrainc? A phwy'n well i godi golygon Owain a'i ddilynwyr o'r lleol a'r Cymreig a gosod ei freuddwydion a'i gynlluniau ar lefel Ewropeaidd? Dichon fod Sion Trefor ac eraill o'i gyd-eglwyswyr amlwg – megis Gruffudd Yonge, canghellor Owain ac yn ei dro esgob Bangor – yn fwy cyfrifol na neb am bolisïau mwyaf beiddgar Owain, megis llythyr enwog Pennal (gweler isod). A buont yn driw i Glyn Dŵr i'r eithaf. Bu farw Sion Trefor ym Mharis ym 1410 tra oedd ar neges yno ar ran Owain, ac yno y'i claddwyd. Cafodd Gruffudd Yonge oes lawer hwy ond fel alltud o'i famwlad y treuliodd ugain mlynedd olaf ei oes.

Talodd eraill o gefnogwyr eglwysig Owain bris uwch hyd yn oed na'r Esgob Sion Trefor a'r Esgob Gruffudd Yonge am eu teyrngarwch i Owain. Un ohonynt oedd Sion ap Hywel, abad mynachlog Llantarnam ger Caerleon. Aelod o urdd y Sistersiaid oedd Sion ap Hywel, ac nid oedd gan Owain gefnogwyr mwy pybyr a phenboeth yng Nghymru gyfan na'r Sistersiaid ar y naill law a'r Brodyr Llwydion (Urdd Sant Ffransis) ar y llaw arall. Dyna pam yr aeth brenin Lloegr ati'n fwriadol i ddinistrio Ystrad Fflur, mynachlog y Sistersiaid yng Ngheredigion, a Llanfaes, un o dai'r Brodyr Llwydion ym Môn. Mae'n debyg fod sawl aelod o'r ddwy urdd wedi aberthu eu bywydau yng ngwasanaeth Owain, ond dim ond un ohonynt – Sion ap Hywel – a gafodd ei anfarwoli. Dyn duwiol a phregethwr tanllyd oedd Sion yn ôl yr hanes; nid oedd ganddo ronyn o amheuaeth nad oedd rhyfel Glyn Dŵr yn un cwbl gyfiawn ac yn haeddu cefnogaeth lwyr. Pan wynebodd milwyr Glyn Dŵr un o'u brwydrau mwyaf tyngedfennol ger Brynbuga (Usk) ym Mai 1405, aeth Sion o gwmpas y fyddin Gymreig i'w tanio â'i huodledd gan annog llwyr ymroddiad i Owain. Ac yn y frwydr waedlyd honno – a gostiodd yn ddrud iawn i'r Cymry – un o'r rhai a laddwyd oedd Sion ap Hywel.

Merthyr dros Owain a thros ei wlad oedd Sion. Roedd huodledd ac argyhoeddiad gwŷr fel ef yn ganolog bwysig i'r llwyddiant a gafodd Owain. Teg nodi dau beth ychwanegol amdano. Gŵr yn byw yn eithafion de-ddwyrain Cymru, o fewn cyrraedd y ffin â Lloegr, oedd Sion ap Hywel ac eto yr oedd apêl Owain wedi cyrraedd i bellafoedd y rhan honno o Gymru. Yr ail syndod yw mai o ffynhonnell o'r Alban y cawn yr adroddiad am wrhydri a merthyrdod Sion. Mae hynny ynddo'i hun yn arwydd fel yr oedd yr wybodaeth am ryfel Owain a rhai o arwyr y rhyfel hwnnw bellach yn haeddu sylw ymhell y tu hwnt i ffiniau Cymru.

Roedd cefnogaeth a gweledigaeth eglwyswyr o bwys mawr i Owain, ond pwysicach hyd yn oed na hynny fyddai ei allu i ennill cefnogaeth uchelwyr a sgweieriaid Cymru i'w achos. Gwlad wedi ei choncro oedd Cymru ac yn nwylo Saeson yr oedd y mwyafrif o brif swyddi'r wlad. Ond o dan yr haen hon o Seisnigrwydd gweinyddol, gwir arweinwyr y cymunedau lleol oedd Cymry o bwys. Gwŷr o dras dda ac o gyfoeth sylweddol (yn gymharol felly) oedd yr arweinwyr hyn; roedd yr enw cyfoes Cymraeg arnynt – uchelwyr – yn cyfleu eu hawdurdod a'u statws. Ni allai'r Saeson hyd yn oed eu hanwybyddu – y nhw oedd y swyddogion lleol ar ran y drefn Seisnig yng

Nghymru. Y nhw a fyddai'n arwain catrawdau o filwyr o Gymru i wasanaethu ym myddinoedd brenin Lloegr. Eu tai a'u plastai hwy oedd canolfannau eu broydd; yno y tyrrai'r beirdd a'r cerddorion. Roedd gan bob uchelwr o bwys ei 'blaid' ei hun – carfan o ddilynwyr a'i gwasanaethai ac a oedd yn barod i ateb ei alwad. Y pennaf o'r uchelwyr hyn oedd Owain Glyn Dŵr ei hun; dyna pam y galwodd y bardd ef yn 'frenin y barwniaid'.

Os oedd Owain i lwyddo byddai'n hollbwysig iddo ennill cefnogaeth yr uchelwyr hyn, neu o leiaf garfan sylweddol ohonynt, a hynny o bob rhan o Gymru. O ennill eu cefnogaeth hwy byddai ganddo lwybr rhydd i galonnau eu dilynwyr, eu 'pleidiau'. Dyna yn wir a ddigwyddodd a dyna allwedd llwyddiant y rhyfel. Gwelsom eisoes mai menter ac ysbryd anturus dau o'r uchelwyr hyn o Fôn – Rhys a Gwilym ap Tudur – a ailgynheuodd ymgyrch Owain yn Ebrill 1401 pan gipiasant gastell Conwy oddi ar y Saeson. Gwelsom hefyd mai tri uchelwr o rannau tra gwahanol o Gymru – Rhys Ddu o Geredigion, Gwilym Gwyn o Gydweli a Rhys Gethin o Ddyffryn Conwy – oedd cadfridogion Owain pan ymosododd ar dref Caerfyrddin ym mis Gorffennaf 1403.

Un arall o gefnogwyr brwd Owain yn ystod yr haf tanllyd hwnnw oedd Harri Dwn o Gydweli. Mae ei yrfa'n ddrych o fywyd dosbarth yr uchelwyr ac yn dangos pa mor werthfawr oedd eu cefnogaeth i Glyn Dŵr. Fel pob uchelwr roedd ganddo dras aruchel i ymhyfrydu ynddi ac roedd yn berchen ar stadau helaeth ac iddynt nifer fawr o denantiaid yn ardal Cydweli. Fel Owain Glyn Dŵr ei hun, cafodd yrfa filwrol ddisglair a gweld tipyn ar y byd yn sgil hynny, yn Ffrainc ac Iwerddon. Ni allai arglwyddi Seisnig Cymru anwybyddu awdurdod gŵr megis Harri Dwn; cydnabyddiaeth o hynny oedd cynnig swydd stiward, sef prif swyddog, ardal Cydweli iddo. Nid oedd Harri Dwn yn brin o ddefnyddio'i statws a'i swydd i'w bwrpasau ei hun – bygwth hwn, mynnu arian gan y llall. Gŵr i'w ofni ydoedd, ond gŵr hefyd a fyddai'n werthfawr iawn pe cefnogai Owain Glyn Dŵr.

Dyna yn wir a wnaeth Harri. Ar 13 Awst 1403 arweiniodd ef a'i fab gyrch yn erbyn castell Cydweli a llosgi rhannau helaeth o'r dre. Dychwelodd, y tro hwn gyda chriw o Ffrancwyr a Llydawyr i'w gynorthwyo, at yr un gwaith fis yn ddiweddarach. Roedd Harri Dwn mewn gwth o oedran bellach – dyna pam y câi ei alw'n Harri Dwn hen – ond nid oedd henaint wedi oeri dim ar ei waed. Talodd yn ddrud am ei gefnogaeth i Glyn Dŵr – collodd ei diroedd, carcharwyd ef, ac ni chafodd ei ryddid

Castell Cydweli

nes iddo addo talu cosb o £200 (y gosb uchaf y gwyddom amdani yn ystod y rhyfel). Fe ddisgwyliem y byddai triniaeth o'r fath wedi sobri tipyn ar Harri Dwn, ond, i'r gwrthwyneb, ailafaelodd ar unwaith yn ei yrfa fel un o uchelwyr mwyaf pwerus a thrahaus ei fro. Harri Dwn oedd ceiliog ei domen yng Nghydweli cyn rhyfel Owain, yn ystod y rhyfel hwnnw ac ar ôl machlud y rhyfel. Roedd ei gefnogaeth ef a'i fath yn gwbl allweddol i Glyn Dŵr, ac fe gafodd y gefnogaeth honno gan nifer sylweddol o uchelwyr Cymru.

Rhyfel yr uchelwyr oedd rhyfel Owain ar lawer ystyr, ond fe ddaeth hefyd yn rhyfel y werin bobl. Nid yw'n bosibl, wrth gwrs, i gynnal pôl piniwn i fesur pa ganran o boblogaeth Cymru a roddodd eu cefnogaeth i Owain. Barn unfryd y sylwedyddion o Saeson oedd fod trwch y boblogaeth wedi pledio eu cefnogaeth iddo. 'Mae cenedl y Cymry, gydag ychydig eithriadau, yn gwbl gefnogol i'r gwrthryfel hwn', oedd sylw a wnaethpwyd am drigolion ardal Aberhonddu; 'mae trigolion yr ardal hon bellach wedi derbyn awdurdod Owain ac yn ufudd iddo', meddai sylwedydd arall am Gymry Maelor Saesneg. Dichon fod tipyn o or-ddweud bwriadol yn y fath sylwadau. Wedi'r cyfan, nid oes defnydd gwrthryfelwyr ymroddedig yn y mwyafrif o bobl mewn unrhyw ganrif. Gwell ganddynt sicrwydd a chyfforddusrwydd bywyd fel ag y mae, beth bynnag ei siomedigaethau, na helbul a bwrlwm ansicrwydd rhyfel a phrotest. Felly'r oedd hi yn nyddiau Owain Glyn Dŵr hefyd.

A phan ddaeth yn awr o ddewis, dewis o raid yn hytrach na dewis o argyhoeddiad oedd natur y penderfyniad. Hawdd deall cymhellion y gŵr a honnodd ei fod yn wir wedi ochri gyda'r terfysgwyr – ond dim ond tan iddo gael y cyfle i drosglwyddo ei nwyddau a'i gyfoeth allan o'u cyrraedd! Teyrngarwch ceiliog y gwynt oedd y fath deyrngarwch. Roedd llawer o'r fath geiliogod yng Nghymru yn ystod blynyddoedd anterth y gwrthryfel. Un felly oedd Gwilym ap Gruffudd, un o wŷr mwyaf blaenllaw gogledd Cymru. Pan oedd Glyn Dŵr yn tynhau ei afael ar draws pob rhan o ogledd Cymru ym 1403-4, ni welai Gwilym obaith dal gafael ar ei ystadau a'i gyfoeth heb gynnig ei gefnogaeth iddo. Ond o fewn llai na dwy flynedd trodd Gwilym ei gefn ar Owain unwaith y sylweddolodd fod y llanw ar drai. Treuliodd Gwilym weddill ei oes – bu fyw tan 1430 – yn dileu'r cof am ei gyfnod byr o gefnogaeth i Glyn Dŵr. Dewisodd Saesnes o swydd Gaer yn ail wraig; dietifeddodd ei blant o'i briodas gyntaf Gymreig; ychwanegodd at ei ystadau ef ei hun diroedd a fforffedwyd gan rai o gefnogwyr Glyn Dŵr; cododd blas newydd ysblennydd i gyhoeddi ei lwyddiant a'i statws i'r byd a'r betws; a gofynnodd i frenin Lloegr roi caniatâd iddo ef a'i deulu gael eu hystyried o hyn allan yn Saeson. I rai o'i gyfoeswyr, gŵr hirben a ddarllenodd arwyddion yr amserau i'r dim oedd Gwilym; i eraill, ef a'i fath a fradychodd Owain Glyn Dŵr a'i freuddwyd. Gwilym a orfu: ef i bob pwrpas a sylfaenodd ffortiwn teulu Penrhyn.

Nid oedd pawb mor ddiegwyddor â Gwilym ap Gruffudd. Wedi'r cyfan, yr hyn sy'n rhyfeddol yw fod Glyn Dŵr – uchelwr o ogledd ddwyrain Cymru – wedi ennill a chadw'r fath gefnogaeth ar draws Cymru gyfan. Ni lwyddodd neb cystal ag ef, na chynt na chwedyn, i uno cynifer o Gymry o dan ei faner. O ystyried y caledi enfawr a nodweddai fywyd trwch helaeth y boblogaeth yn yr oes honno ac o gofio hefyd gymaint o fenter oedd cefnogi rebel, yr hyn sydd yn wirioneddol ryfeddol yw mor driw y bu cynifer o bobl gyffredin Cymru i Owain, a chyhyd. Mae rhyfel a barodd mewn rhai ardaloedd o Gymru am yn agos i ddeng mlynedd yn dystiolaeth huawdl i wytnwch y gefnogaeth a gafodd Owain. A'r dystiolaeth orau oll o'r gafael rhyfeddol a gafodd ar werin Cymru yw'r ffaith na fradychwyd mohono i'r Saeson hyd yn oed ym mlynyddoedd machlud y rhyfel. Dyna pam y gellir galw rhyfel Owain yn rhyfel cenedlaethol gwirioneddol, y cyntaf a'r olaf yn hanes Cymru. Rhyfel y Cymry, yn wir rhyfel Cymru, oedd rhyfel Owain Glyn Dŵr. Ond ni fyddai wedi llwyddo fel y gwnaeth oni bai ei fod wedi ei wau i mewn i wleidyddiaeth a chwerylon Lloegr. Y gwir amdani yw nad oedd gan y Cymry obaith o gwbl i wrthsefyll grym enfawr Lloegr ond trwy fanteisio, dros dro beth bynnag, ar wendid Lloegr. Rhan o fawredd Glyn Dŵr oedd ei fod wedi llawn sylweddoli hynny. Dyna pam y gwnaeth ei orau glas i droi diffygion Lloegr yn fendithion i'w achos ef. Y mwyaf o'r diffygion hynny oedd mai ansicr iawn oedd gafael y brenin Harri IV ar orsedd Lloegr. Gŵr a oedd wedi cipio'r orsedd mewn chwyldro gwleidyddol yn ystod haf 1399 oedd Harri. Dyna pam fod cynifer yn amau ai ef oedd gwir frenin Lloegr a dyna pam fod cynifer yn cynllwynio yn ei erbyn. Yr oedd hwn yn gyfle euraid i Owain.

Neidiodd ar y cyfle hwnnw yn ystod 1403, y flwyddyn allweddol honno yn hanes ei ryfel yn erbyn y Saeson. Yn ystod yr haf daeth Owain i gytundeb â Henry Percy, yr ieuengaf, sy'n fwy adnabyddus o dan ei lysenw Hotspur ac sydd yn gymeriad amlwg yn nrama William Shakespeare, *Henry IV*. Er mwyn deall arwyddocâd y cytundeb hwn – cytundeb a allai fod wedi trawsnewid hanes Lloegr yn ogystal â hanes Cymru – rhaid cynnig gair am yrfa Hotspur. Teulu pwerus yng ngogledd Lloegr ar y ffin gyd â'r Alban oedd teulu Percy. Cymerodd y teulu ran flaenllaw yn ennill y goron i Harri IV ym 1399, a theimlai Hotspur fod gan y brenin ddyled arbennig iddo yn sgil hynny. Tâl am ran o'r ddyled honno oedd ei benodi yn brif ustus – sef pen y weinyddiaeth – yng ngogledd Cymru a Chaer. Felly, pan gychwynnodd Owain Glyn Dŵr ar ei ymgyrch herfeiddiol, Hotspur oedd y gŵr mwyaf pwerus yng ngogledd Cymru. Arno ef y syrthiai'r bai am fethu dwyn y gwrthryfel i ben yn sydyn; ef yn benodol a fyddai'n gorfod ysgwyddo'r cyfrifoldeb am yr embaras fod y Cymry wedi cipio castell Conwy yn Ebrill 1401.

Dechreuodd y berthynas rhwng teulu Percy a Harri IV suro yn ystod y cyfnod hwn; ni wyddom yn union pryd. Roedd sawl rheswm y tu cefn i'r ymddieithrio hwn; nid oes raid i ni ond nodi dau. Yn gyntaf, mae digon o dystiolaeth i awgrymu fod Percy yn credu y gellid, ac y dylid, dwyn gwrthryfel Glyn Dŵr i ben trwy drafodaeth a chytundeb yn hytrach na thrwy luddugoliaeth filwrol. Ond gwrthododd y brenin gyngor Percy ar y pwnc hwn, fel ar sawl pwnc arall. Ail reswm dros yr ymddieithrio oedd methiant, ac yn wir gyndynrwydd, y brenin i sicrhau rhyddid Edmwnd Mortimer wedi iddo gael ei gymryd yn garcharor gan y Cymry ym Mryn Glas ym Mehefin 1402 (gweler Pennod 2). Roedd hynny'n siom deuluol chwerw i deulu Percy, oherwydd yr oedd gwraig Edmwnd Mortimer yn chwaer i Hotspur. Sut y gallai Hotspur barchu brenin oedd wedi dangos cyn lleied o gonsrn am ei frawd-yng-nghyfraith?

Rywdro yn ystod 1403 penderfynodd teulu Percy – Hotspur, ei dad (Henry Percy, iarll Northumberland) a'i ewythr (Thomas Percy, iarll Worcester) – lansio ymgyrch i ddiorseddu'r brenin. Nid yw'n glir beth oedd eu bwriad pe baent wedi llwyddo. O bosib fe fyddent wedi cynnig y goron i un o deulu Mortimer. Sut bynnag am hynny, byddai cytundeb â Glyn Dŵr yn sicr o gryfhau eu cynllwynion. I Glyn Dŵr ei hun dyma gyfle i droi anghydfod o fewn Lloegr i'w felin ei hun, a chyfle i ennill annibyniaeth i Gymru fel rhan o'r fargen o gynnig ei gefnogaeth i Hotspur. Dyna'n bendant a ddigwyddodd. Nid damwain oedd hi mai ar ffiniau Cymru y cyhoeddodd Hotspur ei fwriad i ddiorseddu'r brenin ac mai o Ddinbych a Fflint y recriwtiodd filwyr ar gyfer ei ymgyrch. Nid damwain ychwaith oedd fod Owain wedi dwysáu ei ymgyrch filwrol yng nghanolbarth a de Cymru ar yr union adeg yr oedd Hotspur yn cyhoeddi ei wrthryfel yng Nghaer ar 10 Gorffennaf 1403.

Y bwriad, mae'n amlwg, oedd bod y ddau'n ymosod ar Harri IV mewn dwy ardal ar unwaith – Hotspur yn ardal Caer ac Amwythig, Glyn Dŵr yng nghanolbarth Cymru – a hynny ar yr union adeg yr oedd y brenin ei hun â'i fryd ar fynd ar ymgyrch i'r Alban. Yn wir, efallai fod Hotspur a Glyn Dŵr yn bwriadu uno eu dwy fyddin a chydymdeithio yn erbyn y brenin. Ond achubodd Harri IV y blaen arnynt a throi ei fyddin ar frys tuag Amwythig. Cyrhaeddodd y dref ar 20 Gorffennaf a chau pyrth y dref rhag byddin Hotspur oedd yn bwriadu cipio'r dref a'r tywysog Harri oedd â'i bencadlys ynddi. Drannoeth, tua thair milltir o'r dref, trechodd Harri fyddin Hotspur mewn brwydr dyngedfennol. Lladdwyd Hotspur yn y frwydr; dienyddiwyd ei ewythr ddeuddydd yn ddiweddarach, a fforffedwyd tiroedd a chestyll ei dad.

Nid oes dwywaith nad oedd methiant ymgyrch Hotspur yn ergyd drom i Owain, ond nid oedd yn ergyd farwol iddo. Er gwaetha'i fuddugoliaeth yn Amwythig nid oedd Harri IV wedi llwyddo i roi terfyn ar gynllwynion yn ei erbyn o fewn ei deyrnas. Bu sawl sialens i'w awdurdod yn ystod y tair blynedd nesaf, ac roedd cynghrair ag Owain yn rhan o bob un ohonynt. Dyna'r deyrnged orau i ddylanwad a phwysigrwydd Glyn Dŵr a'i ryfel: roedd ei ymgyrch bellach yn rhan annatod o agenda wleidyddol Lloegr. Yr enghraifft fwyaf trawiadol o hynny yw'r Cytundeb Tridarn rhwng Owain, Henry Percy yr hynaf (tad Hotspur) ac Edmwnd Mortimer a gysylltir, fel arfer, â'r flwyddyn 1405. Cawn ddychwelyd at y cytundeb yn y bennod nesaf. Yma nid oes ond raid i ni nodi mai bwriad y cytundeb oedd rhannu Lloegr a Chymru yn dri rhwng Mortimer, Percy a Glyn Dŵr.

Nid yw'n bosibl deall y mesur hynod o lwyddiant a gafodd Owain yng Nghymru, heb gydnabod maint y fantais a gafodd o'r rhwygiadau dwfn o fewn y deyrnas Seisnig. Ond mesur o graffter arweinydd effeithiol yw ei allu i droi trafferthion eraill i'w fantais ei hun. Dyna'n union a wnaeth Owain dro ar ôl tro. Roedd y Saeson wedi llwyddo o genhedlaeth i genhedlaeth i fanteisio ar y rhwygiadau dwfn o fewn Cymru i ddwyn y wlad o fewn eu hawdurdod. Dyma gyfle yn awr i'r Cymry dalu'r pwyth yn ôl. Gwendid Lloegr oedd y gobaith gorau i greu Cymru annibynnol. Daeth y cyfnod hwn o wendid gwleidyddol i ben ym 1406, pan fu'n rhaid i iarll Northumberland (Henry Percy) ffoi i Gymru am ei einioes; fe'i lladdwyd yn gynnar ym 1408. Nid cyd-ddigwyddiad oedd hi mai yn ystod y blynyddoedd hyn, 1406–8, y machludodd haul Owain yng Nghymru. Bellach roedd gafael Harri IV ar ei orsedd yn sicr a diysgog; bellach nid oedd gan Owain gyfaill o bwys yn Lloegr; bellach fe fyddai'n rhaid iddo ddibynnu ar ei adnoddau ei hun yng Nghymru. Unwaith y digwyddodd hynny, roedd dyddiau llwyddiant Owain Glyn Dŵr wedi eu rhifo. Gŵr a lwyddodd ar gefn methiant eraill yn gymaint ag ar ei ddawn ei hun oedd Owain.

Fodd bynnag, gallai Owain edrych i un cyfeiriad arall am waredigaeth, sef ymhlith gelynion tramor y Saeson.

Nid gŵr plwyfol ei weledigaeth na'i brofiad mo Owain. Bu'n gwasanaethu ym myddin y Saeson yn yr Alban, ddwywaith, ac yn erbyn y Ffrancwyr. Byddai'r profiadau hynny wedi agor ei lygaid i'r casineb dwfn rhwng y Saeson ar y naill law a'r Ffrancwyr a'r Albanwyr ar y llall, casineb a fyddai'n ffrwydro'n rhyfel o bryd i'w gilydd. Dyma ganrif y Rhyfel Can Mlynedd rhwng Lloegr a Ffrainc. Os oedd Cymru i'w rhyddhau ei hun o gaethiwed y Saeson pa well ffordd i wneud hynny na galw am help gelynion Lloegr a chlymu tynged Cymru wrth frwydrau diplomyddol a milwrol Ewrop? Mesur o grebwyll gwleidyddol Glyn Dŵr yw ei fod wedi sylweddoli hynny o ddyddiau cynnar ei ryfel.

Gwyddom iddo ddanfon llysgenhadon i Iwerddon a'r Alban ym 1401–2. Ni ddaeth dim o'r fenter: daliwyd un o'r llysgenhadon gan y Saeson a'i ddienyddio. Ond cadwyd copïau o'r llythyrau eu hunain. Mae eu cynnwys yn dweud llawer wrthym am feddylfryd Owain ac am gefndir gwleidyddol a hanesyddol ei argyhoeddiadau. Mae'n pwysleisio bod y Saeson yn elynion i'r Gwyddelod a'r Albanwyr fel i'r Cymry. Mae hynny ynddo'i hun yn ddigon i'r tair gwlad uno â'i gilydd yn erbyn eu gelyn cyffredin. Yn wir, fe ddywed wrth y Gwyddelod y byddai llwyddiant ei ryfel ef yng Nghymru yn tanseilio gallu'r Saeson i erlyn y Gwyddelod yn Iwerddon. Mae'n amlwg fod Owain wedi sylweddoli'n gynnar mai trwy greu cynghrair gwrth-Seisnig y medrai hyrwyddo a diogelu ei gynllun i sefydlu gwladwriaeth annibynnol Gymreig.

Nodwedd arall yn llythyrau'r Alban ac Iwerddon yw eu pwyslais, ar y naill law, ar y cefndir hanesyddol a mytholegol oedd yn gyffredin rhyngddynt a Chymru ac, ar y llaw arall, ar y gobaith fod awr gwireddu'r 'broffwydoliaeth' – sef y proffwydo am y dyfodol a gysylltir yn aml yn y canoloesoedd ag enw Myrddin – bellach wrth law. Yn ei lythyr at frenin yr Alban mae Owain yn pwysleisio bod y ddau ohonynt yn ddisgynyddion i Brutus, brenin cyntaf Ynys Prydain. Ar sail hynny mae Owain yn cyfarch y brenin fel perthynas agos, 'fy nghefnder'. Yn ogystal â chwlwm llinach, credai Owain fod cwlwm proffwydoliaeth hefyd yn clymu'r Cymry a'r Albanwyr wrth ei gilydd. 'Mae'r broffwydoliaeth yn datgan,' meddai Owain yn ei lythyr at frenin yr Alban, 'y caf fy ngwaredu o ormes a chaethiwed y Saeson trwy eich cymorth.' Nid chwilen ym mhen Owain a'i gyd-Gymry yn unig oedd y sôn hwn am y 'broffwydoliaeth'. Roedd y 'broffwydoliaeth' yn cael ei meithrin hefyd yn yr Alban, ac yn benodol felly'r gred y byddai cynghrair rhwng y Cymry (neu'r Brythoniaid fel y'u gelwid) a gwŷr yr Alban yn arwain ryw ddydd at ddymchwel teyrnas y Sacson.

Hawdd iawn yw i ni ddibrisio'r cyfeiriadau hyn at y 'broffwydoliaeth' a'u pwysigrwydd ym meddylfryd Owain. Dyna wnaeth y Saeson yn ddiweddarach, gan eu dilorni, yng ngeiriau anfarwol Hotspur yn nrama Shakespeare, fel 'skimble-skamble stuff'. Ond mae gan bob oes a chymdeithas ei 'skimble-skamble stuff' ei hun. Polau piniwn a daroganau ein sylwedyddion a'n troellwyr gwleidyddol yw 'proffwydoliaethau' ein hoes ni. Ni ellir amau am funud nad oedd Owain ei hun yn cymryd y 'broffwydoliaeth' yn gwbl o ddifrif. Cafodd ei drwytho ynddi gan y beirdd; roedd ganddo, fel y gwelsom eisoes, ei 'broffwyd' personol ei hun, Crach Ffinnant, a phan oedd ei ryfel yn ei anterth ym 1403 gofynnodd i Hopcyn ap Tomos ab Einion, y pennaf awdurdod ar y 'broffwydoliaeth' ac ar draddodiadau'r Cymry, am gyngor am ei ragolygon ar gyfer y dyfodol.

Y 'broffwydoliaeth', felly, oedd fframwaith feddyliol

Owain Glyn Dŵr a'i gefnogwyr. Hi yn unig a roddai'r hyder iddynt fentro herio grym y Saeson a thybio y gallent ennill. Cwbl briodol oedd hi, felly, i Owain droi at wŷr Iwerddon a'r Alban am gymorth i wireddu'r 'broffwydoliaeth'. Ond fel sawl un arall sydd wedi rhoi ei goel ar broffwydi, cafodd ei siomi. Gwir i'r Albanwyr ddanfon ambell long a dyrnaid o filwyr i roi help i Owain. Gwir hefyd fod yr Albanwyr wedi cipio Ynys Enlli am ychydig ddiwrnodau a bod yr Alban wedi bod yn lloches ddiogel i rai o gefnogwyr mwyaf blaenllaw Owain – gan gynnwys ei ganghellor, Gruffudd Yonge – yn nyddiau machlud ei ryfel. Ond siomedig i'r eithaf oedd unrhyw gymorth ymarferol a gafodd Owain o Iwerddon a'r Alban fel ei gilydd. Roedd y Gwyddelod yn rhy ranedig a mewnblyg i fod o werth, a dinistriwyd unrhyw obaith am gymorth o du'r Albanwyr pan gafodd y Saeson fuddugoliaeth lwyr dros fyddin y wlad ym mrwydr Homildon Hill (Medi 1402) a chipio'i brenin a'i garcharu am ddeunaw mlynedd (Mawrth 1406). Dichon fod Owain wedi dod i gredu cyn diwedd ei oes mai adeiladu tŷ ar dywod oedd rhoi coel ar addewidion y 'broffwydoliaeth'. Rhaid oedd edrych i gyfeiriad arall am waredigaeth.

Y cyfeiriad hwnnw oedd Ffrainc. Ffrainc mewn gwirionedd oedd yr unig wlad a oedd yn ddigon nerthol i herio Lloegr. Bu rhyfela rhwng y ddwy wlad ers dros drigain mlynedd. Wedi cyfnod o heddwch a chymodi yn ystod degawd olaf y bedwaredd ganrif ar ddeg (1390– 1400), ailgynheuwyd yr elyniaeth ar yr union adeg y cyhoeddodd Owain Glyn Dŵr ei hun yn dywysog Cymru. O'r dechrau cynnar roedd rheswm da dros gyplysu Cymru a Ffrainc yn eu gelyniaeth tuag at Loegr. Gallai Ffrainc ddefnyddio Cymru fel drws cefn cyfleus iawn i ymosod ar Loegr a thrwy hynny orfodi'r Saeson i ganolbwyntio eu hymdrechion ar ymateb i'r bygythiad yng Nghymru yn hytrach nag anfon eu byddinoedd i reibio gogledd Ffrainc. I'r Cymry, yr unig wir obaith o droi'r freuddwyd o Gymru annibynnol yn realiti oedd gosod Cymru ar fap y gynnen ryngwladol rhwng Lloegr a Ffrainc. Yn union fel yr oedd Lloegr yn defnyddio Fflandrys a Llydaw fel drysau cefn i ymosod ar y Ffrancwyr, gallai'r Ffrancwyr yn awr ddefnyddio Cymru a'r Alban i'r un perwyl yn erbyn y Saeson.

Wedi'r cyfan nid oedd y syniad o ddefnyddio grym Ffrainc fel dull o ddiogelu Cymru rhag y Saeson yn un newydd. Roedd dau o dywysogion mwyaf blaenllaw Gwynedd yn y gorffennol – Owain Gwynedd a Llywelyn Fawr – wedi taro bargen â brenin Ffrainc i'r union bwrpas hwnnw. Ond at gynsail llawer mwy diweddar y cyfeiriodd Owain pan ddanfonodd lysgenhadon i ddarparu cynghrair rhyngddo a brenin Ffrainc. Pwysleisiodd Owain ei fod wedi etifeddu hawl gŵr arall o'r enw Owain i fod yn dywysog Cymru a bod gwasanaeth yr Owain hwnnw i'r Ffrancwyr yn hyddysg i bawb. Owain Lawgoch oedd yr Owain arall hwnnw.

Pwy felly oedd Owain Lawgoch? A pham yr oedd Owain Glyn Dŵr mor awyddus i ddilyn yn ôl ei dract? Owain o Gymru, Yvain de Galles, oedd yr enw a roddai'r Ffrancwyr iddo. Er mor gyfleus oedd enw byr, bachog – yn arbennig i Gymro a dreuliodd ei oes yn Ffrainc – ei enw llawn yn unig a allai fynegi pwysigrwydd y gŵr hwn: Owain ap Tomos ap Rhodri ap Gruffudd ap Llywelyn Fawr. Roedd yr ach yn ei chyflawnder yn cyhoeddi'n eglur fod Owain yn ddisgynnydd – yn wir yr unig ddisgynnydd uniongyrchol drwy'r ach wryw – o linach dywysogol Gwynedd. Ar sail yr ach nodedig hon gallai Owain Lawgoch (yr enw a lynodd wrtho yn y traddodiad

Cymraeg) hawlio mai ef oedd etifedd tywysogaeth Gwynedd a gwir dywysog Cymru. Dyna'n union a wnaeth Owain Lawgoch ym 1372.

Yn Ffrainc y gwnaeth Owain ei ddatganiad ym 1372. Yno y treuliodd y rhan fwyaf o'i oes, llawer ohoni yng ngwasanaeth brenin Ffrainc neu bwy bynnag a fyddai'n fodlon talu am ei dalent filwrol. Casglodd griw anturus o Gymry o'i gwmpas. Dynion oeddent oedd wedi troi eu cefnau ar Gymru ac ar wasanaeth brenin Lloegr; byw mewn alltudiaeth fel milwyr cyflogedig, digartref oedd eu rhan. Dynion o deulu da yn aml a dynion a oedd, mae'n siŵr, yn dyheu am ddychwelyd i'w cartref. Ieuan Wyn oedd enw un ohonynt, gŵr o deulu da o sir y Fflint a'i frawd yn archddiacon Meirionnydd. Ond yr hyn sy'n gwneud Ieuan Wyn yn wir gofiadwy yw'r llysenw lliwgar a gafodd – *le poursuivant d'amour*, canlynwr cariad. Hawdd dychmygu'r criw hwn o filwyr Cymraeg alltud yn crwydro o'r naill le i'r llall ar draws de Ffrainc a'r Swistir yn chwilio am antur filwrol a chyflogwr newydd, yn drachtio o ddiwylliant ac arferion – a chwmni merched – y broydd soffistigedig hyn, ond hefyd yn trysori eu hatgofion o Gymru a'u breuddwydion am gael dychwelyd yno ryw ddydd. Hawdd dychmygu hefyd fel y byddai chwedlau am eu bywydau lliwgar a chynhyrfus wedi cyrraedd Cymru. Un o'r rhai oedd yn gwrando'n awchus oedd llanc ifanc o'r enw Owain ap Gruffudd, Owain Glyn Dŵr.

Ond nid chwarae soldiwrs yn unig yr oedd Owain Lawgoch. Roedd yn gwbl o ddifrif ynglŷn â'i freuddwyd i adennill ei dywysogaeth yng Nghymru. Daeth ei gyfle ym 1369 pan ailgynheuwyd y rhyfel rhwng Lloegr a Ffrainc. Perswadiodd Owain Lawgoch frenin Ffrainc i gydnabod ei hawl i fod yn dywysog Cymru ac yn wir i gynnig help milwrol iddo i fynd i Gymru i wireddu'r hawl honno. Ddwywaith, ym 1370 a 1372, lansiwyd llynges o Ffrainc gyda'r bwriad o lanio yng Nghymru a sefydlu Owain Lawgoch fel tywysog yno. Ofer fu'r ddwy ymdrech; ni chyrhaeddodd y naill na'r llall arfordir Cymru. Ond roedd y sibrydion am fwriadau Owain a'r Ffrancwyr wedi creu ofn gwirioneddol ymhlith y Saeson y gallai Cymru droi'n ddraenen beryglus yn ystlys Lloegr. Rhaid oedd rhwystro hynny ar bob cyfrif. Anfonwyd ysbïwr o Sais, John Lamb, i Ffrainc yn unswydd i gael gwared ar Owain Lawgoch. Cyflawnodd ei neges ysgeler ym Mortagne-sur-Mer, ar lannau'r Gironde yn ne-orllewin Ffrainc, yn haf 1378. Gyda lladd Owain Lawgoch daeth llinach dywysogol Gwynedd, disgynyddion Llywelyn Fawr a Llywelyn ap Gruffudd, i ben – a hynny trwy law llofrudd cyflog o Sais ym mhellafoedd de Ffrainc. Pan gyrhaeddodd y newydd am yr anfadwaith Gymru, dichon fod sawl un wedi gofyn a oedd Cymro arall wrth law i ddilyn yn ei gamre a hawlio mai ef oedd gwir dywysog Cymru. Dyna ergyd cwpled y bardd.

Oes dewrfalch sy falch a saif
O Lywelyn â'i loywlaif?

Dyna'r cwestiwn a fyddai wedi cynhyrfu Owain Glyn Dŵr ar hyd y blynyddoedd a'i gadw'n effro'r nos. A oedd am ateb i'r apêl ai peidio?

Etifeddodd Owain Glyn Dŵr fantell Owain Lawgoch, er mai hwyrfrydig iawn y bu i'w harddel. Arwyddocâd gyrfa'r Llawgoch yw dangos nad chwilen bersonol a hunanol ym mhen Owain Glyn Dŵr oedd y freuddwyd o Gymru annibynnol. Gwyddom hefyd fod y Llawgoch wedi derbyn llawer o gefnogaeth gudd i'w gynlluniau yng ngogledd Cymru. Mae hynny'n awgrymu bod llawer o anesmwythyd a dyheu dwfn o dan yr wyneb yng Nghymru ymhell cyn i Glyn Dŵr lansio ei ryfel. Roedd y tir wedi ei fraenaru eisoes; syrthiodd had breuddwydion Owain Glyn Dŵr ar dir oedd eisoes yn ffrwythlon.

Un wers ganolog a ddysgodd Owain Glyn Dŵr o edrych yn ôl tros waddol ei ragflaenydd oedd mai'r unig obaith o greu tywysogaeth frodorol, annibynnol Gymreig oedd gyda chefnogaeth filwrol brenin Ffrainc. Rhaid, felly, oedd plethu'r frwydr Gymreig yn dynn ym mholisïau a chynlluniau'r Ffrancwyr. Nid oedd yn bosibl i Owain wneud hynny ar unwaith pan lansiodd ei fenter, oherwydd fod Ffrainc a Lloegr wedi trefnu cadoediad yn eu rhyfel. Ond nid oedd hynny'n rhwystr i'r Ffrancwyr ddal ar bob cyfle i roi cymorth i'r Cymry. Gwyddom, er enghraifft, fod catrawd o filwyr o Ffrainc a Llydaw ym myddin Harri Dwn pan ymosododd ar gastell Cydweli yn hydref 1403; fis yn ddiweddarach ymosododd llynges o Ffrainc ar gastell Caernarfon. Mater o amser oedd hi bellach cyn i'r cydweithio hwn gael ei osod ar sail swyddogol.

Dyna a ddigwyddodd ym 1404. Erbyn hyn roedd llwyddiannau Glyn Dŵr yn gyfryw fel y gallai brenin Ffrainc ei drin bellach fel un o'i gyd-dywysogion. Daliodd Owain ar ei gyfle. Ar 10 Mai danfonodd ddau o'i brif gynghorwyr – ei frawd-yng-nghyfraith, John Hanmer, a'i ganghellor dawnus, Gruffudd Yonge – ar gennad i Baris i drefnu cynghrair gyda brenin Ffrainc. Ddeufis yn ddiweddarach seliwyd y cytundeb yn swyddogol yng nghartref canghellor Ffrainc ac ym mhresenoldeb tri esgob, iarll a dau farchog ar yr ochr Ffrengig. Bellach roedd Cymru'n rhan o agenda ryngwladol brenin Ffrainc. Cytunodd Owain a Siarl VI, brenin Ffrainc, i gydymgyrchu yn erbyn Harri o Lancaster (fel y galwent

Harri IV a thrwy hynny wrthod cydnabod ei hawl i goron Lloegr). Addawodd y ddau i'w gilydd na fyddent yn dod i gytundeb â'r Saeson heb ymgynghori'n llawn â'i gilydd. Safai tywysog newydd Cymru a brenin Ffrainc bellach ysgwydd yn ysgwydd yn erbyn grym y Saeson.

Hawdd dychmygu'r wefr yn llys Owain pan ddychwelodd John Hanmer a Gruffudd Yonge o'u siwrnai. Teimlent eu bod wedi cael eu trin fel llysgenhadon gwlad annibynnol. Yn eu dwylo yr oedd copi o'r cytundeb ar femrwn gyda sêl fawr brenin Ffrainc yn warant o'i ddilysrwydd. Pwy bellach fedrai wadu statws Owain fel gwir dywysog Cymru, pwy ond Harri o Lancaster, y trawsfeddiannwr a feiddiai ei alw ei hun yn frenin Lloegr? Ac i brofi cynhesrwydd y cyfeillgarwch rhwng Cymru a Ffrainc, gallai'r llysgenhadon ddangos yr anrhegion o arfau a roddwyd iddynt gan y Brenin Siarl i'w cyflwyno i'r Tywysog Owain. Tipyn o newid byd i ŵr a oedd bum mlynedd ynghynt yn sgweier digon di-nod yng ngogledd-ddwyrain Cymru ac a dreuliodd lawer o'i amser ers hynny'n ffoi rhwng ogof a choedwig. Bellach dyma'r dyn a elwid yn 'Owain, trwy ras Duw, tywysog Cymru' ac a allai gyfri brenin Ffrainc ei hun ymhlith ei gyfeillion swyddogol. Rhyfedd o fyd, yn wir.

Braf oedd seremoni, cydnabyddiaeth ac anrhegion, ond gwell fyth fyddai cefnogaeth filwrol ymarferol. Roedd Owain yn ddigon hirben i sylweddoli na allai wrthsefyll grym milwrol y Saeson am byth. Manteisiodd i'r eithaf, ac yn ddyfeisgar ryfeddol felly, ar bopeth oedd o'i blaid – tywydd a thirwedd Cymru, diffyg dyfalbarhad brenin Lloegr, y rhwygiadau dyfnion o fewn Lloegr, gallu'r *guerrilla* i daro'n sydyn ac i ddiflannu'n fwy sydyn fyth. Ond o gofio grym milwrol a chyllidol Lloegr, mater o amser oedd hi cyn y byddai'r fantol yn troi yn erbyn Owain. Sianelu grym y Ffrancwyr, a hynny tra oedd brenin Lloegr yn dal mewn dyfroedd dyfnion, oedd y gobaith gorau iddo.

Gyda hynny mewn golwg, cludodd Gruffudd Yonge gydag ef i Baris restr o brif borthladdoedd Cymru ac awgrymiadau am ba ffyrdd a llwybrau y medrai byddin o Ffrainc eu dilyn unwaith y byddai'n glanio. Roedd disgwyl eiddgar yng Nghymru, yn enwedig pan ddaeth y newydd yn hydref 1404 fod llynges Ffrengig wedi ymgasglu ym mhorthladd Harfleur gyda'r bwriad, mae'n debyg, o hwylio i Gymru. Fel mae'n digwydd ni ddaeth dim o'r fenter hon, ond roedd digon o arwyddion fod y Ffrancwyr yn dal o ddifrif yn eu bwriad. Roedd nifer o Ffrancwyr ymhlith y criw a ymosododd ar siryf Môn yn Chwefror 1405. Tua'r un adeg glaniodd nifer o longau o Ffrainc ym mhenryn Llŷn yn cludo nwyddau a gwin i lonni llys Owain. Roedd y briwsion hyn o obaith yn ernes y byddai byddin go iawn yn cyrraedd Cymru o Ffrainc cyn bo hir.

O'r diwedd daeth yr awr yn Awst 1405. Ymgasglodd byddin sylweddol – tua 2,500 o wŷr arfog yn ôl un adroddiad – o dan arweiniad rhai o brif gadfridogion Ffrainc ym mhorthladd Brest yn Llydaw. Glaniodd y fintai ym mae Hwlffordd yng ngwaelod sir Benfro. Llosgwyd tre Hwlffordd a chreu dychryn mawr yn yr ardal, ond methiant fu'r ymdrech i gipio'r castell yno ac yn Ninbych-y-pysgod. Ni chafwyd gwell llwyddiant ychwaith yn San Clêr. Ond cafodd y Ffrancwyr un fuddugoliaeth fawr pan ildiwyd tref allweddol Caerfyrddin iddynt – er i hynny hyd yn oed ddigwydd trwy gytundeb yn hytrach na thrwy fuddugoliaeth mewn brwydr. Bratiog a niwlog yw ein gwybodaeth am yr hyn a ddaeth o ymgyrch y Ffrancwyr wedi hynny. Yn ôl un croniclwr o Ffrainc mentrodd o leiaf ran o'r fyddin ar draws de Cymru a chyrraedd mor bell â Bryn Woodbury, dim ond rhyw wyth milltir o ddinas Caerwrangon (Worcester). Os yw'r stori'n wir, yna roedd yn fenter ac yn gamp ryfeddol yn wir – y tro cyntaf, a'r olaf, i fyddin o Ffrancwyr a Chymry ar y cyd fentro mor bell i mewn i Loegr.

Hawdd credu'r cynnwrf yn Lloegr pan dorrodd y newydd fod byddin o Ffrainc wedi glanio yng Nghymru ac yn prysuro ar draws y wlad tua ffiniau Lloegr. Rhaid oedd ymateb ar unwaith. Brysiodd y brenin, Harri IV, i Gaerwrangon, a rhoddodd orchymyn i'w fyddin ymgasglu yn Henffordd (Hereford) ar gyfer ymgyrch yn erbyn Cymru. Roedd pob argoel fod y frwydr rhwng Lloegr a Ffrainc bellach i'w hymladd ar dir Cymru. Fel mae'n digwydd, ni ddaeth dim o'r bygythiadau o'r naill ochr na'r llall. Dichon fod y croniclwr o Ffrainc wedi gor-ddweud yn arw: os croesodd catrawd fechan o Gymry a Ffrancwyr dros y ffin i Loegr uc nid oes unrhyw ffynhonnell arall yn cadarnhau'r honiad – mae'n fwy na thebyg iddynt ddychwelyd ar unwaith ac ar frys. Ac er y byddai wedi rhoi pleser arbennig i frenin Lloegr drechu'r Ffrancwyr ar dir Cymru, bu'n rhaid i Harri IV fodloni ar ymgyrch fechan ac aflwyddiannus i godi'r gwarchae ar gastell Coety ym Morgannwg.

Stori codi gobeithion enfawr ac yna eu chwalu'n llwyr oedd hanes ymgyrch y Ffrancod i Gymru. Dychwelodd rhai o'r milwyr o Ffrainc adref cyn diwedd y flwyddyn, ac er gwaetha'r addewidion y byddid yn anfon byddin newydd draw i Gymru y flwyddyn ddilynol, nid oedd calon y Ffrancwyr bellach yn y fenter. Daliodd Glyn Dŵr i gredu y byddai gwaredigaeth yn dod o Ffrainc. Fel y cawn weld, ddiwedd Mawrth 1406, rhannodd Owain ei freuddwydion mwyaf beiddgar mewn llythyr enwog o Bennal at frenin

Ffrainc. Dro ar ôl tro yn ystod y blynyddoedd nesaf – yn wir mor ddiweddar â 1415 – anfonodd Owain lysgenhadon i Baris i ddadlau ei achos gerbron y brenin ac i geisio'i berswadio i gefnogi'r Cymry yn eu rhyfel.

Dichon fod y llysgenhadon wedi cael gwrandawiad astud, ond y gwir amdani oedd nad oedd Cymru bellach yn eitem o bwys ar agenda brenin Ffrainc. Rhan o'r rheswm am hynny oedd methiant ymgyrch 1405. Nid oedd tirwedd na thywydd Cymru at ddant y Ffrancwyr; anodd oedd i fyddin broffesiynol fyw oddi ar wlad mor dlawd a derbyn adnoddau ac arfau'n rheolaidd o Ffrainc ar draws môr mor stormus; anodd hefyd oedd cyfuno doniau milwrol byddin broffesiynol o Ffrainc gyda thalentau ac arferion milwyr *guerrilla* Owain Glyn Dŵr. At hynny, newidiodd yr hinsawdd ryngwladol yn ddramatig ym 1406–7: enillodd y Saeson lwyddiannau ysgubol yn erbyn y Ffrancwyr o fewn Ffrainc ei hun; bu chwyldro gwleidyddol yn Ffrainc, ac erbyn diwedd 1407 daeth y Saeson a'r Ffrancwyr i gytundeb ar amodau heddwch rhwng y ddwy wlad. Yr oedd yr ysgrifen ar y mur yn amlwg iawn. Nid oedd Owain na Chymru'n cael blaenoriaeth bellach o fewn cynlluniau Ffrainc. Roedd cefnogaeth Ffrainc yn gwbl ganolog i obeithion hir-dymor Owain, ond credai'r Ffrancwyr fod Cymru yn eu defnyddio dros dro yn eu polisi yn erbyn Lloegr, ac y dylid bwrw eu cais am gymorth o'r neilltu unwaith yr oedd yr amodau, boed fewnol neu ryngwladol, wedi newid.

Yn y pen draw ni ellir gwadu mai siomedig ddigon oedd y cymorth a gafodd Owain o'r tu allan i Gymru. Defnyddiodd teulu Percy ac eraill a oedd yn anfodlon â'r drefn wleidyddol yn Lloegr ei ryfel a'i gefnogaeth i hyrwyddo eu cynlluniau eu hunain. Methiant fu'r ymdrech i asio'n effeithiol ei gynlluniau ef a chynllwynion teulu Percy ac i gydamseru eu hymosodiad ar frenin Lloegr. A phe bai'r ymosodiad hwnnw wedi llwyddo, nid oes lle i gredu y byddai teulu Percy wedi anrhydeddu'r fargen yr oeddent wedi ei tharo gydag Owain. Siom hefyd a gafodd Owain yn y diwedd yn ei gysylltiadau tramor. Nid oedd y Gwyddyl na'r Albanwyr mewn sefyllfa i estyn cymorth iddo, ac er bod y Ffrancwyr wedi gwneud hynny (ac yn sylweddol felly ym 1405–6) siomedig fu'r cynhaeaf a chymharol fyr fu'r cysylltiad rhwng y ddwy wlad. Eto, er cydnabod hynny, yr hyn sy'n rhyfeddod yw fod Owain wedi gosod Cymru yn ganolog am gyfnod ar agenda wleidyddol Lloegr ac agenda ryngwladol gogledd Ewrop ac wedi clymu ei freuddwydion ef wrth wead gwleidyddol cyffredinol ei gyfnod. Dim ond dyn o weledigaeth a fedrai wneud hynny. Y weledigaeth honno oedd creu Cymru'n wlad annibynnol o dan ei thywysog ei hun. Ei gamp fwyaf oedd rhoi tipyn o gnawd ar esgyrn y weledigaeth honno. Sut yr aeth ati i wneud hynny yw testun ein pennod nesaf.

Pennod 5

Breuddwydion

Buom hyd yn hyn yn dilyn gyrfa Owain fel milwr ac arweinydd rhyfel. Lawer tro bu'n ffoadur, yn gorfod symud o un lle i'r llall liw nos a heb sicrwydd o bryd o fwyd na lloches drannoeth. Gwyddai erbyn hyn fod y Saeson wedi dinistrio ei gartref ysblennydd yn Sycharth ac wedi llosgi ei dai a'i eiddo'n ulw yng Nglyndyfrdwy. Nid oedd cartref iddo ddychwelyd iddo bellach. Ac eto, erbyn 1403, roedd Cymru oll yn gartref iddo; nid oedd nemor un cornel o'r wlad na allai fentro iddo; gallai gyfri ei gyfeillion a'i gefnogwyr erbyn hyn ym mhob plwyf o'r bron. Colli Sycharth a Glyndyfrdwy, felly, ond ennill Cymru: dyna gamp Owain Glyn Dŵr.

Gadewch i ni gymryd cip arno, felly, yn teyrnasu dros ei dywysogaeth newydd rywdro ym 1404–5. Mentrwn i'w lys yng nghastell Harlech. Mae'r lle ei hun yn drwm o draddodiadau. Dyma, yn ôl y chwedl, y fan lle cynhaliai Bendigeidfran, 'brenin coronog yr ynys hon', ei lys 'uwch pen y weilgi'. Dyma hefyd, wrth gwrs, y fan lle'r adeiladodd Edward I un o'i gestyll cadarnaf a mwyaf mawreddog yn symbol o'i oruchafiaeth derfynol dros y Cymry. Pa le gwell felly i Owain gynnal ei lys a datgan drwy hynny fod trefn wleidyddol cwbl newydd wedi ei sefydlu yng Nghymru?

Gallwn ddychmygu Owain yn eistedd yn urddasol ac yn hunanymwybodol ar gadair ddyrchafedig mewn neuadd fawr. Gwyddai ef a'i gynghorwyr i'r dim – fel y gŵyr ein gwleidyddion ni heddiw – nad oedd dim yn fwy effeithiol na thipyn o seremoni a rhwysg bwriadol i greu'r

Castell Harlech. Wedi iddo gipio'r castell tua 1404, hwn oedd prif bencadlys Owain nes iddo ei ildio i'r Saeson ym 1408-9.

argraff ein bod bellach ym mhresenoldeb tywysog. Byddai ei wisg a'i goron yn cyhoeddi hynny'n groyw, a byddai'r moesymgrymu a'r parchedig ofn a ddangosid tuag ato yn cyfleu yr un neges yn union. Nid Owain ap Gruffudd,

Sêl Owain. Mae'r sêl fawr yn dangos Owain yn ei holl ogoniant – fel tywysog ar ei orsedd ar y naill ochr ac fel marchog yn ei rwysg ar yr ochr arall.

arglwydd Sycharth, oedd yma ond 'Owain, trwy ras Duw, tywysog Cymru'. Bwriadol oedd y pwyslais ar ras Duw: roedd yn datgan bod ei awdurdod a'i hawl yn gysegredig ac yn gyfwerth â theitl brenin Lloegr. Nid oedd unrhyw dywysog arall o Gymru erioed wedi hawlio bod ei awdurdod yn deillio o Dduw; nid oedd dim llai yn gweddu i Owain.

O gwmpas ei orsedd prysurai macwyaid a gweision i weini arno – gan dywallt peth o'r gwin coch o Ffrainc y gwyddom iddo ei dderbyn. Ar ei law aswy byddai ei ysgrifennydd personol, y dyn a oedd hefyd yn geidwad ei sêl breifat. Ar ei ddeheulaw safai Gruffudd Yonge, ei ganghellor, a cheidwad ei sêl fawr. Dyma'r ddau ŵr a fyddai'n amlinellu iddo ei dactegau gwleidyddol a'i bolisi, yn ysgrifennu ei lythyrau swyddogol mewn Lladin caboledig, ac yn penderfynu pa gyfarwyddiadau y dylid eu rhoi i'w lysgenhadon. O'u cwmpas byddai nifer o gyfeillion a chynghorwyr closiaf Owain, dynion o bob cwr o Gymru a oedd wedi mentro popeth er ei fwyn ac a oedd bellach yn awyddus i elwa ar ei lwyddiant ac i ddatgan eu barn ar y cam nesaf yn ei ymgyrch. Dim ond ar ôl gwrando'n astud 'ar sylwadau ein cyngor, penaethiaid o'n cenedl ni, a phrif eglwyswyr ein tywysogaeth', meddai Owain yn ei lythyr at frenin Ffrainc, y byddai'n dod i'w benderfyniad.

Unwaith y byddai'r polisi wedi ei benderfynu, rhaid oedd chwilio am y memrwn gorau a mynd ati i gyfansoddi llythyr graenus yn ôl safonau llenyddol gorau'r cyfnod ac mewn Lladin soniarus, teilwng o dywysog. Ac yna selio'r llythyr â'r sêl fawr (os llythyr agored ydoedd) neu'r sêl breifat (ar gyfer llythyr personol). Roedd yn werth talu sylw i'r ddwy sêl, oherwydd fe'u cynlluniwyd yn fwriadol i ddatgan hawliau Owain fel tywysog Cymru i'r byd. Pan oedd yn sgweier Sycharth, bu Owain yn ddigon bodlon ar sêl fechan ddigon di-nod ac ar arfbais teulu Powys Fadog. Ond erbyn hyn roedd yn berchen ar sêl fawr, fawreddog. Ar un wyneb o'r sêl cyflwynir Owain yn eistedd ar ei orsedd a theyrnwialen yn ei law dde a'i ddwy droed yn pwyso ar ddau lew. Ar wyneb arall y sêl gwelwn Owain y marchog, yn carlamu ar ei farch, gyda chleddyf yn ei law dde a tharian ac arni ei arfbais yn ei law chwith. O gylch y ddau wyneb ceir y geiriau: 'Owain, trwy ras Duw, tywysog Cymru'. Dyma yn wir sêl oedd yn deilwng o dywysog ac yn fynegiant croyw i'r byd o'i hawliau a'i awdurdod.

Ond, o syllu'n nes, fe nodwn fod neges arall, a honno'n un fwriadol iawn, ar wyneb y sêl. Nid arfbais teulu Powys Fadog, sef hynafiaid Owain Glyn Dŵr ei hun, sydd arni ond arfbais teulu Gwynedd. Roedd arwyddocâd deublyg yn y dewis hwn o arfbais. Teulu Gwynedd, ym mherson Llywelyn ap Gruffudd (m.1282), oedd yr unig deulu tywysogol yng Nghymru a fabwysiadodd y teitl 'tywysog Cymru' fel ei deitl swyddogol a chael cydnabyddiaeth o'r teitl hwnnw, am gyfnod, gan frenin Lloegr. Yn ail, dyma'r union arfbais yr oedd Owain Lawgoch wedi ei defnyddio pan aeth ati yn y 1370au i hawlio mai ef oedd gwir dywysog Gwynedd. Trwy fabwysiadu'r arfbais hon iddo'i hun yr oedd Owain Glyn Dŵr yn cyhoeddi i'r byd mai ef oedd etifedd breuddwydion llinach Gwynedd ac mai fel tywysog Cymru gyfan y gwelai ei hun.

Mae'n amlwg fod Owain a'i gynghorwyr wedi penderfynu bod yn rhaid gwneud pob ymdrech i gyflwyno Owain i'r byd yn ei holl urddas fel tywysog, cydradd o ran ysblander ei wisg, ei lys a'i lythyrau swyddogol â phob tywysog arall. Arwydd pellach o hynny yw'r adroddiad ei fod wedi trefnu gornestau (*duels*) ac, o bosib, dwrnameintiau yn ystod y blynyddoedd cynhyrfus hyn. Nid yw hynny'n syndod. Fel marchog urddol yr hoffai Owain feddwl amdano'i hun: dyna oedd ei fagwraeth a'i brentisiaeth. Gwrhydri mewn rhyfel a gornest oedd ei gefndir; nid oedd dim yn well ganddo, meddai'r bardd, na 'marchogaeth meirch'. Ar ben hynny rhaid oedd i yntau bellach, fel pob brenin neu dywysog gwerth ei halen, gynnal llys a chwaraeon a threfnu gwledd a sbri. Nid rhialtwch dibwrpas mo'r gornestau a'r twrnameintiau hyn ond rhan fwriadol o raglen Owain i ddangos i'r byd ei fod yn wir dywysog a'i lys bellach yn ganolfan i ornestau cenedl y Cymry.

Y cam olaf yn yr ymdrech fwriadus hon i sefydlu tywysogaeth newydd Cymru yn ei holl ysblander oedd galw senedd. Gwyddom fod Owain wedi galw o leiaf ddwy senedd, y naill ym Machynlleth rywdro ym 1404 a'r llall yn Harlech flwyddyn yn ddiweddarach. Ar un ystyr roedd senedd yn achlysur ac yn brofiad cwbl newydd i'r Cymry. Wedi'r Goncwest, ni ofynnwyd mwy i'r Cymry ddanfon cynrychiolwyr i senedd Lloegr. Nid ystyrid y wlad na'i thrigolion yn ddigon gwâr yn wleidyddol i haeddu'r fath anrhydedd; byddai'n rhaid aros tan Ddeddf Uno 1536 nes i hynny ddigwydd. Yn y cyfamser rhyw fath o atodiad trefedigaethol i rym a threfn wleidyddol Lloegr oedd

Senedd-dy Owain Glyn Dŵr ym Machynlleth.

Cymru. Y profiad hwn o gael ei thrin fel rhyw fath o ysgymun gwleidyddol oedd yn peri drwgdeimlad yng Nghymru yn erbyn y Saeson.

Bellach roedd Owain yn brysur yn creu Cymru'n wlad newydd, annibynnol; erbyn hyn roedd senedd, neu ryw gorff cyffelyb, yn rhan annatod o wead gwleidyddol pob gwlad o'r fath. Ni ddylai Cymru fod yn eithriad. Byddai hynny'n ddigon o reswm ynddo'i hun i egluro penderfyniad Owain i alw senedd. Ond dichon fod rhesymau eraill hefyd. Nid oedd y syniad o senedd yn ddieithr i Owain. Bu gan ei dad-yng-nghyfraith, Syr Dafydd Hanmer, ran flaenllaw yn senedd Lloegr ac mae'n siŵr y byddai wedi rhannu peth o'i brofiad ag Owain. Ymhlith cyfeillion ieuenctid Owain yr oedd sawl un oedd wedi cynrychioli ei sir yn y senedd, ac un o'i gynghorwyr mwyaf blaenllaw erbyn 1404 oedd Sion Trefor, esgob Llanelwy a gŵr oedd yn hyddysg iawn yn arferion senedd Llundain.

Ond gallai ysbrydoliaeth Owain Glyn Dŵr fod wedi tarddu hefyd o ffynhonnell cwbl wahanol. Ni wyddom a oedd ganddo lyfrau a llawysgrifau yn ei blas ysblennydd yn Sycharth. Ond o gofio mor hael ydoedd fel noddwr i'r beirdd, ni fyddai'n syndod pe bai'n berchen ar lyfrgell fechan ac yn gyfarwydd â thraddodiadau a chwedlau'r Cymry. Un o'r traddodiadau hynny oedd fod Hywel Dda, brenin Cymru (bu farw 950), wedi cynnull yn Hendy-gwyn ar Daf chwe gŵr o bob cwmwd yng Nghymru ynghyd â'r eglwyswyr mwyaf blaenllaw i arolygu cyfraith Cymru. Nid oes yn rhaid i ni roi coel ar y stori fel y cyfryw, ond nid gwirionedd hanesyddol stori sy'n bwysig ond ei harwyddocâd eglurebol. Dyma stori, felly, oedd yn creu darlun o orffennol lle'r oedd Cymru'n un wlad o dan un brenin a'r brenin hwnnw'n galw cyfarfod, neu senedd, i drafod pynciau llosg y dydd. Pa gynsail gwell yr oedd ei angen ar Owain yntau i alw senedd i arddangos undod y Gymru newydd?

Ni wyddom odid ddim am y ddwy senedd a gyfarfu ar ei orchymyn. Fe ddywedir wrthym ei fod wedi rhoi gwŷs i bob cwmwd yng Nghymru i anfon pedwar gŵr o bwys a doethineb i'w senedd yn Harlech yn ystod haf 1405. Os yw'r adroddiad yn gywir, mae'n awgrymu bod dylanwad y chwedl am Hywel Dda yn drwm ar bolisi Owain oherwydd yr oedd ef, fel Hywel, wedi dewis y cwmwd ac nid y sir (fel a wneid yn Llocgr) yn uned ar gyfer ei etholaeth. Go brin fod cynrychiolwyr o bob cwr o Gymru wedi dod i le mor anghysbell â Harlech ym 1405, ond er mai bratiog ac anghyflawn oedd y gynrychiolaeth, nid oedd dim yn fwy effeithiol mewn gwlad wasgaredig fel Cymru i weu'r wlad yn un na senedd o dan lywyddiaeth Owain. Yma yr oedd y tywysog yn cyfarfod â thrawsdoriad o'i ddeiliaid, a hwythau yn eu tro yn cael cyfle i gasglu newyddion am yr ymgyrch yn gyffredinol ac am y polisïau ar gyfer y dyfodol. Mae'n siŵr mai mewn senedd o'r fath y byddid yn trafod polisi'r tywysog tuag at Ffrainc neu'r babaeth, heb sôn am amryfal broblemau craill.

I ba gyfeiriad bynnag y trown, felly, ar draws y blynyddoedd 1403–6 cawn gip ar dywysog a oedd bellach yn teimlo'n ddigon sicr ohono'i hun a'i obeithion i geisio mynd ati i greu gwlad a thywysogaeth newydd – Cymru frodorol ac annibynnol. Nid crwsâd bersonol Owain yn unig oedd y rhyfel bellach ond ymgyrch wirioneddol genedlaethol i greu Cymru newydd. Owain oedd gwir dywysog y Gymru hon; nid damwain oedd i'r bardd ei gyfarch fel 'un pen ar Gymry'. Ond, ar derfyn y dydd, cenedl, yn hytrach na llinach dywysogol, sy'n creu gwlad. Ac fe gydnabu Owain hynny dro ar ôl tro. Dyna arwyddocâd ei gyfeiriadau mynych at 'ein cenedl', 'fy nghenedl' a 'fy mamwlad'. Tywysog Cymru ond hefyd arweinydd cenedl y Cymry: dyna sut y gwelai Owain ei genhadaeth erbyn hyn.

Beth, felly, oedd ei freuddwydion ar gyfer y Gymru newydd? Ni chafodd gyfnod digon hir a sicr o lwyddiant i amlinellu ei freuddwydion yn llawn, heb sôn am eu gwireddu. Ond mae dwy ddogfen sy'n allweddol bwysig i unrhyw ddealltwriaeth o'i weledigaeth ar gyfer Cymru. Cynnwys y ddwy ddogfen hyn yw sail y gred fod Owain Glyn Dŵr nid yn unig yn arweinydd milwrol penigamp ond hefyd yn wladweinydd uchelgeisiol ac eithriadol ddychmygus ac, yng ngeiriau Syr John Edward Lloyd, yn 'dad cenedlaetholdeb modern Cymru'.

Y Cytundeb Tridarn yw'r gyntaf o'r ddwy ddogfen ac, ar lawer ystyr, y rhyfeddaf. Fe ddrafftiwyd y cytundeb, mae'n debyg, yn gynnar ym 1405 rhwng Owain, ei fab-yng-nghyfraith Edmwnd Mortimer a Harri Percy, iarll Northumberland. Y cwlwm rhwng y tri oedd eu cynllwyn i ddiorseddu Harri IV, brenin Lloegr, a rhannu'r deyrnas rhyngddynt. Roedd Percy yn hen law ar gynllwynion a gwrthryfel yn erbyn y brenin. Nid oedd marwolaeth ei fab, Hotspur, a'i frawd, Thomas Percy, ym mrwydr Amwythig yng Ngorffennaf 1403 wedi oeri dim ar ei waed gwrthryfelgar. Yn wir, i'r gwrthwyneb, llosgai fflam dialedd yn fwy tanbaid nag erioed yn ei enaid. Roedd yn barod i daro bargen gydag unrhyw un a allai ei helpu i gael gwared o Harri IV. A phwy'n well i'r pwrpas hynny ym 1405 nag Owain? Haws fyth deall cymhellion Edmwnd Mortimer dros ymuno yn y fenter. Fel y gwelsom uchod (t. 45), fe'i cymerwyd yn garcharor gan Owain a'i filwyr ym mrwydr Bryn Glas ym 1402 a chyn pen y flwyddyn yr oedd wedi priodi merch Owain ac felly'n aelod o'i deulu. Prin, felly, fod gan Edmwnd Mortimer ddewis ond ymuno yn y cynllwyn. Roedd ei gefnogaeth yn rhoi rhith o barchusrwydd i'r cynllwyn oherwydd, yn nhyb llawer, teulu Mortimer, ac nid Harri IV, oedd â'r gwir hawl i goron Lloegr. Gan fod pennaeth y teulu'n blentyn ac i bob pwrpas yn garcharor dan ofal Harri IV, gallai ei ewythr (Edmwnd Mortimer, mab-yng-nghyfraith Owain) honni mai ef bellach oedd gwir etifedd hawliau teulu Mortimer.

Pwrpas y cytundeb – a seliwyd, mae'n fwy na thebyg, ym Mangor tua 28 Chwefror 1405 – oedd clymu'r tri ohonynt i'r cynllwyn yn ffurfiol a di-droi'n-ôl. Pe llwyddai'r cynllwyn, byddid yn rhannu Lloegr a Chymru yn dair rhan rhyngddynt. Nid oedd yr un o'r tri i honni unrhyw hawl dros y ddau arall; yr oedd statws y tri i fod yn gwbl gyfartal. Pe bai'r cytundeb wedi ei wireddu, felly, byddai Lloegr a Chymru wedi eu rhannu'n dair gwlad newydd. Cyfran Percy fyddai deuddeg o siroedd Lloegr yn ymestyn o'r Alban ac yn cynnwys rhannau helaeth o ganolbarth a dwyrain Lloegr. Neilltuid gweddill Lloegr ar gyfer Edmwnd Mortimer. Cyfran Owain Glyn Dŵr sydd o ddiddordeb arbennig i ni. Nid yn unig yr oedd yn hawlio'r cyfan o Gymru; mynnai hefyd ychwanegu at y Gymru newydd y cyfan o swydd Gaer a rhannau helaeth o orllewin swyddi Amwythig, Henffordd a Chaer wrangon.

Beth, felly, mae'r cytundeb hwn yn ei ddweud wrthym am amcanion a meddylfryd Owain yn awr ei fuddugoliaeth? Yn gyntaf, roedd yn ŵr a wyddai sut i daro bargen galed. Gwyddai'n dda mai ef oedd y cryfaf o'r tri phartner: roedd Edmwnd Mortimer yn byw dan ei nodded ac yn gwbl ddibynnol arno; gŵr ar ei liniau'n wleidyddol oedd Harri Percy ac felly'n barod i gyd-fynd ag unrhyw gynllwyn neu fargen a allai roi cyfle newydd iddo ddiorseddu ei elyn pennaf, Harri IV, brenin Lloegr. Dyma gyfle rhagorol i Owain, felly, ymestyn ei dywysogaeth ac ychwanegu rhannau o diroedd breision gwastatir Lloegr ati a thrwy hynny greu rhagfur yn erbyn y Saeson i'w deyrnas newydd. Daliodd Owain ar y cyfle ar unwaith. Nid Cymru newydd yn unig, ond Cymru fwy hefyd, oedd bwriad Owain.

Yr oedd y Gymru hon wedi ei gwreiddio'n ddwfn yn nhraddodiadau'r gorffennol. Ar un ystyr nodwedd fwyaf trawiadol y Cytundeb Tridarn yw ei fod yn adlewyrchu'n drwm iaith a meddylfryd 'y broffwydoliaeth'. Beth, felly, oedd y broffwydoliaeth? Corff o ddraddodiadau a daroganau – a'r rheini'n aml yn dywyll ond awgrymog – a gysylltai orffennol pell a chwedlonol Cymru â'i thynged yn y dyfodol. Fe gysylltid 'y broffwydoliaeth' yn arbennig ag enw Myrddin. Crefft arbennig oedd darllen arwyddion yr amserau ar sail y broffwydoliaeth hon, a thrwy hynny benderfynu pa lwybr i'w ddilyn a phryd. Gwelsom eisoes (t.28) fod gan Owain ei 'broffwyd' personol ei hun a'i fod yn dyfynnu'r broffwydoliaeth yn ei lythyrau at frenhinoedd yr Alban ac Iwerddon. Hawdd yw i ni heddiw wenu'n nawddogol at gymdeithas a roddai'r fath goel ar gredoau sy'n ymddangos yn gwbl ffug ac ofergoelus i ni. Ond, wedi'r cyfan, onid math o broffwydoliaeth yw'r polau piniwn a'r grwpiau ffocws sydd mor ganolog yn ein byd gwleidyddol ni heddiw?

Dengys y Cytundeb Tridarn nad rhyw elfen ymylol, ychwanegol oedd 'y broffwydoliaeth' i Owain a'i gynghreiriaid ond conglfaen eu meddylfryd gwleidyddol. Sail y cytundeb, meddent, oedd eu cred mai atynt hwy eu tri y cyfeiriai'r broffwydoliaeth pan soniai am rannu llywodraeth Prydain Fawr rhwng tri pherson. Os oedd hynny'n wir – ac roeddent yn ddigon diymhongar i gredu na allent fod yn gwbl sicr o hynny – yna nid cynllwyn na brad oedd sail y cytundeb ond eu dyletswydd i weld gwireddu'r broffwydoliaeth yn ei chyflawnder o'r diwedd.

Arwydd pellach fel yr oedd syniadau a chredoau Owain wedi eu trwytho yn 'y broffwydoliaeth' oedd yr iaith a ddefnyddid i ddiffinio terfynau ei deyrnas newydd, estynedig. Disgrifiwyd cyfran Harri Percy trwy nodi enwau'r siroedd a fyddai'n waddol iddo, ond cwbl wahanol oedd y disgrifiad o ffiniau teyrnas Owain. Mae'r enwau a roddir ar y gwledydd – Cambria a Leogri – yn dangos ar unwaith fod copi o'r 'broffwydoliaeth' (neu o leiaf gopi o lyfr enwog Sieffre o Fynwy ar Hanes Brenhinoedd Prydain) wrth law pan aethpwyd ati i ddrafftio'r cytundeb. Yn wir, mae'r syniad o rannu Prydain yn dair gwlad newydd yn adlais bwriadol o'r triawd Cymraeg a soniai am 'Dair Ynys Prydain'. Yr oedd ffiniau'r Gymru newydd i ddilyn llwybr afon Hafren o'r môr at borth gogleddol dinas Caerwrangon (Worcester), oddi yno i'r coed ynn 'a elwir yn Gymraeg yn Onennau Meigion' ar y briffordd o Bridgnorth i Kinver, oddi yno ar hyd yr hen ffordd at darddiad afon Trent, ac oddi yno i darddiad afon Merswy gan ei dilyn ar ei hyd i'r môr. Nid yn ôl map cyffredin, ac yn bendant nid yn ôl ffiniau Cymru fel y'u pennwyd ers canrifoedd, y penderfynwyd ar y terfynau hyn ond ar sail chwedloniaeth draddodiadol a hynafol y Cymry. Yn ôl y chwedloniaeth honno afon Hafren yn wir oedd y llinell derfyn rhwng 'Cambria' a 'Leogria', a choed ynn Meigion, yn ôl proffwydoliaeth Myrddin, oedd yr union fan lle byddai'r Eryr Fawr (arweinydd y dyfodol, mae'n siŵr) yn cynnull byddin y Cymry ato. Ni ellid cael gwell prawf fod y gorffennol pell, mytholegol a'r dyfodol disglair, gobeithiol o Gymru newydd wedi eu gweu'n un ym meddylfryd Owain a'i gylch.

Os edrych tuag at orffennol pell a phroffwydoliaeth dywyll yr hen Gymry a wna'r cytundeb, mae'r ddogfen arall sy'n rhoi cip inni ar freuddwydion Owain â'i golygon yn bendant iawn ar y presennol a'r dyfodol. Y ddogfen honno yw'r llythyr enwog a ddanfonodd Owain at frenin Ffrainc o Bennal ar 31 Mawrth 1406. Prif bwrpas y llythyr oedd datgan bod Owain yn barod i drosglwyddo teyrngarwch eglwysig y Gymru newydd i'r Pab Benedict VIII a drigai yn Avignon. Ar y pryd roedd y Babaeth wedi ei rhwygo'n ddau, gyda'r Saeson yn cefnogi'r Pab Innocent VII yn Rhufain a'r Ffrancwyr y gwrth-Bab yn Avignon. Gan fod Owain bellach wedi selio cytundeb gyda brenin Ffrainc ac wedi derbyn cymorth milwrol ganddo, roedd yn anorfod y byddai hefyd yn trosglwyddo'i deyrngarwch eglwysig i gyd-fynd â hynny. Digon naturiol hefyd oedd i Owain fynnu, fel pris am ei deyrngarwch newydd, fod Pab Avignon yn ei gefnogi mewn ffyrdd ymarferol – er enghraifft trwy gadarnhau'r penodiadau eglwysig oedd wedi eu gwneud yng Nghymru, cyhoeddi crwsâd yn erbyn 'Harri o Lancaster, trawsfeddiannwr teyrnas Lloegr' (fel y galwai Harri IV), a chynnig maddeuant llawn am eu pechodau i'r rhai a gefnogai Owain yn ei ryfel. Nid oes dim syndod yn yr amodau hyn, ond maent yn dangos yn eglur fod cefnogwyr blaenllaw Owain – gwŷr o brofiad eglwysig helaeth, megis yr Esgob Sion Trefor a Gruffudd Yonge, canghellor Owain – yn gwybod yn union sut i ddefnyddio grym ac awdurdod y Babaeth i hyrwyddo ymgyrch Owain.

Ond yr hyn sy'n rhyfeddol am lythyr Pennal yw nid yn gymaint yr hyn a ddisgwyliai Owain gan y Pab am ei gefnogaeth ond y cip llachar a roddir inni ar ei freuddwydion am y Gymru newydd. Serch hynny, dylid pwysleisio mai breuddwydion eglwysig Owain yn unig a gawn yn y llythyr; nid dyma'r fan na'r lle i Owain fynd ati i amlinellu ei weledigaeth wleidyddol. Ond mewn oes lle'r oedd byd ac eglwys yn un, mae breuddwydion eglwysig hefyd yn ddrych o ddyheadau cyffredinol. Dyma'r agosaf y gallwn ddod at weledigaeth Owain Glyn Dŵr.

Un nodwedd o'r weledigaeth honno oedd creu eglwys gwbl Gymreig. Yng Nghymru, fel ym mhob rhan o Ewrop erbyn y cyfnod hwn, defnyddid llawer o swyddi breision a chyfoeth yr eglwys i wobrwyo ffefrynnau'r brenin a'r Pab yn hytrach nag i benodi eglwyswyr a fyddai'n gwasanaethu mewn plwyf ac esgobaeth. Nid oedd y Saeson fwy ar fai yn hyn o beth na chenhedloedd eraill, ond prin fod hynny'n fawr o gysur i'r Cymry. Teimlent yn ddig fod llawer o'u prif swyddi eglwysig yn cael eu defnyddio fel rhoddion i weision y brenin, ac mai anaml iawn y penodid Cymro'n esgob yn ei wlad ei hun. Mynnodd Owain, wrth drosglwyddo ei deyrngarwch i Bab Avignon, fod pob offeiriad a gyflwynid gan y Pab i swydd eglwysig yng Nghymru – a chan y Pab yr oedd yr hawl i benodi i'r prif swyddi hyn – yn deall y Gymraeg. Cam i'r un cyfeiriad oedd ei ail gais. Dros y canrifoedd trosglwyddwyd llawer o diroedd gorau Cymru yn waddol i fynachlogydd yn Lloegr ac yn wir yn Ffrainc. Amddifadu Cymru o'i hadnoddau prin oedd hynny yng ngolwg Owain. Dyna pam y mynnodd fod y tiroedd hyn i'w trosglwyddo'n ôl i'w perchenogion Cymreig. Gan ei fod ef bellach yn hawlio mai ef oedd tywysog Cymru, mynnodd Owain hefyd ei fod yn cael holl ragorfreintiau eglwysig tywysogion eraill, cydnabyddiaeth benodol felly o statws arbennig ei gapel personol, 'ar yr un amodau', yn ei eiriau ei hun, 'ag a estynnwyd i'w ragflaenwyr fel tywysogion Cymru'.

Mae'r amodau hyn ynddynt eu hunain yn mynegi'n

glir fwriad Owain i sefydlu eglwys annibynnol, frodorol Gymreig, eglwys nad oedd bellach o dan fawd brenin Lloegr, eglwys a fyddai'n diwallu anghenion ysbrydol y wladwriaeth newydd Gymreig. Ond aeth Owain ddau gam ymhellach a thrwy hynny ddangos bod ei gynlluniau eglwysig yr un mor feiddgar â'r cynlluniau gwleidyddol a amlinellwyd yn y Cytundeb Tridarn. Yn gyntaf, mynnodd y dylid cydnabod bod Tyddewi'n ganolfan archesgobaeth newydd, archesgobaeth Cymru. Yn wir, daliai Owain nad creu archesgobaeth newydd fyddai hyn ond adfer cyn-archesgobaeth, ac i brofi hynny aeth ati i restru y pum gŵr ar hugain a fu'n archesgob yno o gyfnod Dewi hyd amser Samson. Roedd breuddwydion Owain am y dyfodol unwaith eto'n tynnu'n drwm ar y gorffennol, neu o leiaf ar fytholeg y gorffennol. Felly hefyd gyda'r ail gam yn ei gynllun ar gyfer yr eglwys Gymreig newydd. Mynnodd y dylai awdurdod archesgob Tyddewi ymestyn nid yn unig dros y tair esgobaeth arall yng Nghymru ar y pryd (Bangor, Llandâf a Llanelwy), ond hefyd dros bum esgobaeth yng ngorllewin Lloegr (Exeter [Caerwysg], Caerfaddon [Bath], Henffordd [Hereford], Caerwrangon [Worcester], Coventry a Chaerlwytgoed [Lichfield]). Bu haneswyr yn gytûn fod y fath syniad yn gwbl chwerthinllyd ac yn dangos bod breuddwydion Owain erbyn hyn yn gwbl afreal. Dichon fod hynny'n wir yn y sefyllfa oedd ohoni. Ond y gwir amdani yw nad ffantasi afreal oedd cynllun Owain ond enghraifft arall o'r modd y gwreiddiodd ei gynlluniau yn nhraddodiadau hanesyddol (neu fytholegol) Cymru. Y traddodiad a feithrinwyd yn Nhyddewi oedd fod awdurdod Dewi fel archesgob yn wir wedi ymestyn dros y cyfan o Gymru a hefyd dros y pum esgobaeth oedd bellach yng ngorllewin Lloegr. Yr oedd Owain a'i gynghorwyr, felly, yn atgyfodi a gwireddu hen draddodiad eglwysig Cymreig.

Ond erys un cais arall yn llythyr Pennal sydd yn perthyn yn bendifaddau i oes Owain ei hun. Gofynnodd i'r Pab am ganiatâd i sefydlu dwy brifysgol yng Nghymru, un yn y gogledd a'r llall yn y de. Dichon mai'r eglwyswyr academig yn ei lys – dynion megis Sion Trefor oedd wedi mynychu prifysgolion eu dydd – a fynnodd fod Owain yn cynnwys y cais hwn. Gwyddent yn dda fod prifysgolion newydd yn cael eu sefydlu ar draws Ewrop ar y pryd: 22 cyn 1400 a 34 at hynny erbyn 1500. Gwyddent hefyd fod pob gwlad a chenedl o bwys bellach yn mynnu sefydlu ei phrifysgol ei hun yn hytrach na danfon ei myfyrwyr i wlad arall – i Rydychen neu Baris, Caergrawnt neu Bologna – i gael eu haddysg. Byddai sefydlu prifysgol yng Nghymru, ochr yn ochr â'r archesgobaeth newydd, yn datgan yn groyw i'r byd fod Cymru hithau yn awr yn wlad annibynnol – a hynny o ran addysg ac eglwys yn ogystal â gwladwriaeth ac iddi dywysog. Yn wir yr oedd gwlad, eglwys a phrifysgol wedi eu huasio'n un yng nghynlluniau Glyn Dŵr. Yn y ddwy brifysgol newydd y byddid yn addysgu'r genhedlaeth newydd o Gymry a fyddai, o hynny ymlaen, yn llenwi'r swyddi allweddol yn llywodraeth ac eglwys y Gymru newydd.

Y freuddwyd hon o eglwys a phrifysgol annibynnol Gymreig yn anad dim sy'n gyfrifol am greu'r ddelwedd o Owain fel tad cenedlaetholdeb modern Cymru. Dyma ŵr oedd wedi breuddwydio am Gymru annibynnol, yn meddu ar ei sefydliadau gwleidyddol, eglwysig ac academig ei hun, ganrifoedd cyn i neb arall freuddwydio breuddwydion mor haerllug o fentrus. Dyna, o leiaf, sut y gwelid Owain erbyn ail hanner y bedwaredd ganrif ar bymtheg pan oedd yr ymgyrch i ddatgysylltu'r eglwys yng Nghymru o afael Lloegr ac i sefydlu prifysgol Cymru yn cyniwair a phan oedd mudiadau megis Cymru Fydd yn deffro hunan-barch a dyheadau gwleidyddol y Cymry.

Ein tuedd ni heddiw yw bod yn llawer mwy gwyliadwrus o'r fath ddelweddau, a phwysleisio mai delwedd wahanol iawn o Owain – fel arwr milwrol hirben a mentrus yn fwy na dim – oedd y ddelwedd a drysorwyd ohono ar gof gwlad dros y canrifoedd. Ni ellir gwadu nad yw pob cymdeithas a phob cyfnod yn dehongli'r gorffennol i'w pwrpas eu hunain ac yn ail-lunio eu harwyr i gyd-fynd â dyheadau a gwerthoedd y dydd. Ond er cydnabod hynny, ni ellir gwadu ychwaith nad oedd Owain a'i gyfeillion agosaf wedi amlinellu darlun rhyfeddol o feiddgar o Gymru newydd yn y blynyddoedd 1403–6. Fel y gwelsom, tynnai'r darlun yn drwm ar draddodiadau a mythau'r Cymry; ond y weledigaeth o'r presennol a'r dyfodol yw'r rhyfeddod mwyaf am y darlun. Heb weledigaeth, meddai'r hen air, trengi a wna'r bobl. Gŵr y weledigaeth fawr oedd Owain. Dyna, yn y diwedd, sy'n egluro ei apêl oesol i genedl y Cymry.

Pennod 6
Blynyddoedd y Trai

A r lawer ystyr, y blynyddoedd 1405–6 oedd blynyddoedd anterth rhyfel Glyn Dŵr. Dyma pryd y gwireddwyd ei freuddwyd y byddai brenin Ffrainc yn anfon byddin i'w helpu. Dyma pryd yr amlinellodd ei gynlluniau chwyldroadol ar gyfer y dyfodol – yn y Cytundeb Tridarn ar y naill law ac yn y llythyr rhyfeddol o Bennal ar y llaw arall. Hawdd y gallai ei gefnogwyr penboeth gredu bod seiliau'r Gymru newydd bellach wedi eu gosod yn ddiogel. Yn wir, un o'r pynciau trafod yn y senedd a alwodd Owain i gyfarfod yn Harlech yn haf 1405 oedd ar ba amodau y dylid agor trafodaethau am gytundeb gyda brenin Lloegr. Gyda'i awdurdod yn ymestyn i bob rhan o Gymru (ar wahân i'r cestyll a'r trefi caerog), a byddin o Ffrainc ar fin cyrraedd i'w helpu, mae'n siŵr y byddai Owain wedi taro bargen galed gyda'r Saeson. Roedd dydd y waredigaeth fawr wedi cyrraedd.

Ond, mewn gwirionedd, roedd y llanw eisoes wedi dechrau troi, a thros y pum mlynedd nesaf collodd Owain ci afael ar Gymru. Nid methiant personol i Owain yn unig oedd hynny ond diwedd hefyd i'r freuddwyd ryfeddol a oedd wedi cydio mor dynn yn nychymyg y Cymry a'u perswadio wrth y miloedd i aberthu cymaint yn enw'r freuddwyd honno. Nid y methiant sy'n rhyfeddol ond y ffaith fod Owain wedi bod yn llwyddiannus cyhyd. Y gwir amdani yw mai gwendid Lloegr oedd allwedd llwyddiant Owain. Unwaith y dechreuodd Lloegr atgyfnerthu, yr oedd dyddiau llwyddiant Owain yn siŵr o ddirwyn i ben.

Dyna a ddigwyddodd o 1405–6 ymlaen. Tan 1405 ansicr iawn oedd gafael y brenin Harri IV ar orsedd Lloegr. Ers iddo gipio'r goron yn haf 1399, fe wynebodd gyfres o gynllwynion a gwrthryfeloedd difrifol yn ei erbyn. Nid oedd ganddo'r amser na'r adnoddau i roi sylw parhaus i Gymru. Y cyfan y gallai ei wneud oedd arwain cyfres o ymgyrchoedd byrhoedlog – ychydig wythnosau fan bellaf – i'r wlad, gan obeithio y byddai'r rhyfel yno'n chwythu ei blwc. Ond erbyn hydref 1405 roedd Harri wedi trechu ei elynion, un ar ôl y llall. Ei fuddugoliaeth bwysicaf oedd yr un tros deulu Percy ym 1403 ac yna ym 1405. Fel y gwelsom eisoes, pwysodd Glyn Dŵr yn drwm ar gefnogaeth a llwyddiant teulu Percy; dyna pam fod y teulu mor ganolog bwysig i'r Cytundeb Tridarn. Ond bellach ffoadur diymgeledd oedd Harri Percy, iarll Northumberland. Ni allai Owain ddisgwyl unrhyw gymorth o werth o'r cyfeiriad yna.

A chyn bo hir gellid dweud yr un peth am y Ffrancwyr. Erbyn gwanwyn 1406, roedd gweddillion y fyddin Ffrengig a laniodd yng Nghymru y flwyddyn cynt wedi troi tuag adref. Ceisiodd y Ffrancwyr gysuro Owain trwy addo byddin newydd i'w gynorthwyo yn ei frwydr. Ond ni wireddwyd yr addewid. Yn wir, yr oedd profiad y Ffrancwyr yng Nghymru wedi eu dadrithio'n llwyr. Pa werth oedd gwastraffu adnoddau a milwyr ar wlad oedd mor dlawd a chyntefig? Nid yng Nghymru y gellid trechu Lloegr ond ar dir Ffrainc ei hun. Daliodd Owain i gredu y byddai'r Ffrancwyr yn cadw at eu gair ryw ddydd: dyna pam yr anfonwyd llysgenhadon o Gymru i Baris ym 1408 ac eto ym 1415, a sawl tro rhwng y dyddiadau hynny, mae'n siŵr. Ond er gwaetha'r geiriau teg a'r croeso brwd, nid oedd ym mwriad y Ffrancwyr roi unrhyw help ymarferol i Owain. Yn wir, yn Rhagfyr 1407, daeth y

Ffrancwyr i gytundeb â'u hen elynion, y Saeson, a hynny'n gwbl groes i'r cytundeb a wnaethpwyd â'r Cymry dair blynedd ynghynt. Nid oedd angen bod yn graff iawn i sylweddoli bod cytundeb rhwng Lloegr a Ffrainc yn hoelen yn arch gobeithion Owain Glyn Dŵr. Ac felly y bu.

Unwaith y collodd Owain gefnogaeth ei gynghreiriaid yn Lloegr a Ffrainc, rhaid oedd iddo ddibynnu'n llwyr ar ei gyd-Gymry. Buont yn rhyfeddol o driw iddo, ond bellach mater o amser yn unig oedd colli'r frwydr a gweld ei obeithion yn cael eu chwalu. Nid yw hynny'n gyfystyr â honni bod y Cymry wedi cefnu ar Owain. Fel y rhan fwyaf o bobl ymhob oes, derbyn y drefn fel ag yr oedd hi oedd ymateb trwch poblogaeth Cymru. Nid nad oedd ganddynt eu breuddwydion a'u dyheadau; nid hawlfraint deallusion yn unig yw'r fath bethau. Ond pan fydd pobl yn byw ar erchwyn cyni a newyn – a dyna oedd ffawd trwch poblogaeth Cymru bryd hynny, fel yn ystod y canrifoedd cynt ac wedyn – brwydro i gadw'n fyw yw'r prif frwydr a hynny'n ddyddiol. Roeddent yn ddigon parod i dderbyn Owain, a hyd yn oed i'w gefnogi, tra oedd ei rym yn ysgubo ar draws y wlad ac yn dymchwel y drefn Seisnig. Ond unwaith y dechreuodd y Saeson a'u cefnogwyr ailsefydlu eu hawdurdod, nid oedd fawr o ddewis i'r werin gyffredin ond derbyn yr awdurdod hwnnw. Dyna a ddigwyddodd yng Nghymru mewn un ardal ar ôl y llall ar draws y blynyddoedd nesaf.

Nid brwydr gyfartal oedd hi, wedi'r cwbl. Gwnaeth Owain y gorau o bob cyfle a ddaeth i'w ran, yn filwrol ac yn wleidyddol. Manteisiodd i'r eithaf ar dywydd a daearyddiaeth Cymru ac ar drafferthion Lloegr. Ond nid oedd ganddo na'r arian na'r adnoddau na'r milwyr i gynnal ei ymgyrch flwyddyn ar ôl blwyddyn. Mewn gwlad mor dlawd â Chymru, sut oedd ef i fwydo hyd yn oed fyddin fechan, ac yn arbennig felly drwy hirlwm y gaeaf? Ar y gorau, cyfres o ymgyrchoedd chwim, lleol, digyswllt oedd ymgyrchoedd Owain – gwarchae castell fan hyn, dwyn anifeiliaid a chnydau fan draw, a chipio ambell ŵr cyfoethog er mwyn ei ryddhau am bridwerth a thrwy hynny gael arian i brynu nwyddau, bwyd ac arfau. Fel y gwelsom, ymledodd yr ymgyrchoedd *guerrilla* hyn ar draws Cymru a chael mesur helaeth o lwyddiant, yn arbennig yn wyneb diymadferthedd ymateb y Saeson. Ac eto dim ond llond dwrn o gestyll a threfi o bwys a gipiwyd gan y Cymry ac a gadwyd o dan eu hawdurdod am gyfnod. Harlech ac Aberystwyth oedd y ddau bwysicaf. Yng ngweddill y cestyll a'r trefi caerog – hyd yn oed mewn mannau megis Caernarfon a Chonwy – daliodd yr awdurdodau eu gafael, er mor anodd yr oedd hi i wneud hynny weithiau. Fel y ciliai llwyddiant Owain a'i luoedd, hawdd felly oedd i'r Saeson a'u cefnogwyr ailsefydlu eu hawdurdod bob yn dipyn a thrwy hynny adfer y drefn a fu yng Nghymru cyn y gwrthryfel. Dyna a ddigwyddodd yn ystod y blynyddoedd 1405–10.

Bratiog a thameidiog yw hanes y blynyddoedd hynny. Nid oes un stori ganolog na chyfres o ddyddiadau cyfleus y gellir eu defnyddio fel mynegbyst i'r cyfnod. Nid yw hynny'n destun syndod. Wedi'r cyfan, casgliad o ardaloedd digon digyswllt oedd Cymru'r cyfnod. Nid un stori syml, felly, yw hanes y wlad ond cyfres o storïau gwahanol sydd i raddau'n gweu i'w gilydd.

Nid rhyfel o frwydrau tyngedfennol oedd rhyfel Glyn Dŵr. Serch hynny, bu ambell frwydr yn garreg filltir yn ei hanes. Fel y gwelsom eisoes, brwydr felly oedd brwydr Bryn Glas ym Mehefin 1402. Wedi llwyddiant ysgubol y frwydr honno llifodd llanw llwyddiant yn gryf o blaid

Owain am ymron i dair blynedd. Arwydd cynnar fod y llanw hwnnw bellach wedi troi oedd y grasfa a ddioddefodd milwyr Owain ddwywaith ym 1405. Ym mis Mawrth y flwyddyn honno lladdwyd ugeiniau, os nad cannoedd, o'i gefnogwyr gan fyddin o Loegr yn y Grysmwnt (Grosmont), tref fechan nid nepell o Drefynwy (Monmouth). Amheuthun iawn i'r Saeson oedd ennill y fath fuddugoliaeth wedi blynyddoedd o golledion trymion ac embaras milwrol yng Nghymru. Cymaint oedd gorfoledd y brenin nes iddo ofyn i faer Llundain gyhoeddi yn y ddinas y newydd da am y fuddugoliaeth. Prin fod y dathliadau trosodd pan gyrhaeddodd newydd am fuddugoliaeth arall a honno'n un fwy tyngedfennol. Ym mis Mai 1405 ymosododd Gruffudd, mab Glyn Dŵr, a byddin o Gymry ar gastell Bryn Buga (Usk), ond fe'u trechwyd yn llwyr gan gatrawd o filwyr Selsnlg o dan arweiniad yr Arglwydd Grey o Godnor, un o gadfridogion mwyaf llwyddiannus y rhyfel yn erbyn y Cymry. Nid oes dwywaith nad oedd brwydr Pwll Melyn – enw'r ardal lai na milltir o gastell Bryn Buga lle'r ymladdwyd y frwydr – yn dyngedfennol i Owain. Dyma ddechrau'r diwedd iddo. Lladdwyd ei frawd, Tudur, yn y frwydr a chipiwyd a charcharwyd ei fab, Gruffudd. Cyn diwedd haf 1405 yr oedd Owain wedi colli dau arall o'i gefnogwyr pwysica – ei frawd-yng-nghyfraith, John Hanmer, a'i ysgrifennydd personol, Owain ap Gruffudd ap Rhisiart.

Mae'n ddiddorol sylwi ar leoliad y brwydrau pwysig hyn – ym mhellafoedd de-ddwyrain Cymru ac o fewn cyrraedd y ffin â Lloegr. Ar un ystyr mae hynny'n dangos beiddgarwch Owain a'i gefnogwyr; nid oedd unrhyw gornel o Gymru y tu hwnt i'w cyrraedd. Ond roedd rheswm arall pam yr oedd yn rhaid iddynt fentro mor bell. Dim ond trwy ennill rheolaeth dros ardaloedd cyfoethog o'r fath y gallai Owain a'i ddilynwyr gael gafael ar y bwydydd a'r adnoddau yr oedd yn rhaid iddynt eu cael i gynnal eu byddin a'u hymgyrch. Newyn a diffyg adnoddau, yn hytrach na byddinoedd y Saeson, oedd gelynion mawr Owain. Unwaith y collodd ei afael ar y gwastatiroedd breision a'r gallu, trwy fygythiad neu berswâd, i sianelu cyfran o'u cynnyrch i'w gynnal, yna roedd dyddiau ei lwyddiant wedi eu rhifo.

Roedd hynny eisoes yn digwydd ym 1405–6. Erbyn Awst 1405 – hynny yw ymhen ychydig fisoedd ar ôl brwydrau y Grysmwnt a Phwll Melyn – cytunodd deiliaid arglwyddiaethau Caerleon a Brynbuga (yn fras yr ardal o Gasnewydd i'r ffin â Lloegr) i roi'r gorau i gefnogi Owain. Gellid dadlau mai ymylol oedd yr ardal hon ar y gorau i gynlluniau Owain, ond yr un oedd y stori yn rhannau eraill o Gymru, yn enwedig yn yr ardaloedd hynny a fu gynt mor bwysig iddo'n economaidd ac yn filwrol. Llithrodd Ynys Môn allan o'i afael a'i amddifadu, felly, o stordy grawn pwysicaf y gogledd. Eisoes yn haf 1405 ymosododd llynges o Ddulyn ar yr ynys ac ysbeilio'r wlad cyn dychwelyd i Iwerddon. Ond dim ond dechrau pethau oedd hynny. Yn Ionawr 1406 anfonwyd llu o dros 350 o filwyr ar longau o Gaer i Fiwmaris. Ailsefydlodd y Saeson eu hawdurdod dros yr ynys bob yn dipyn, gan osod catrawd arall o drigain o filwyr ar y traeth i rwystro unrhyw un rhag croesi i'r ynys o'r tir mawr. Roedd gafael y Saeson yn cau fel magl am wddw'r Cymry. Ni allai Owain wneud dim i'w helpu. Llwyfannwyd act ola'r ddrama ym Miwmaris ar 9 Tachwedd 1406. Yno, cyfarfu cynrychiolwyr o bob rhan o'r ynys gerbron comisiynwyr y brenin, gan ofyn am bardwn ar ran dros ddwy fil o'r ynyswyr, a chytuno i dalu dirwy enfawr i'r brenin. Y mis nesaf, Rhagfyr 1406, cyfarfu llys sirol Ynys Môn unwaith eto. Bellach, gellid cyhoeddi'n swyddogol fod y rhyfel ar ben ym Môn.

Mae'r hyn a ddigwyddodd ym Môn ym 1405–6 yn ddrych o'r hyn a ddigwyddodd ar draws Cymru benbaladr yn ystod y blynyddoedd hyn. Daeth unigolion a chymunedau cyfain bob yn dipyn i'r casgliad bod y llanw wedi troi bellach yn erbyn Glyn Dŵr. Darllenodd rhai ohonynt arwyddion yr amserau ynghynt nag eraill, yn enwedig y rheini a gefnogodd Owain am nad oedd ganddynt unrhyw ddewis arall ac a oedd â'u bryd ar achub eu crwyn eu hunain. Un o'r rheini oedd Gwilym ap Gruffudd, un o wŷr mwyaf blaenllaw gogledd Cymru a gŵr yr amlinellwyd ei yrfa ynghynt (t.73 uchod). Eisoes ym mis Awst 1405 penderfynodd Gwilym a dau o'i frodyr deithio i Gaer a chydnabod yn gyhoeddus yno eu camwri yn cynnig cefnogaeth i Owain. O fewn dim amser cawsant faddeuant gan yr awdurdodau Seisnig a phrysurodd Gwilym i fynd ati i chwyddo ei stadau a sefydlu ffortiwn teulu Penrhyn, a hynny'n aml ar gorn rhai a fu gynt yn gydymgyrchwyr iddo o dan faner Owain.

Dichon fod llawer o gydnabod Gwilym wedi ei feirniadu'n hallt am werthu ei egwyddorion mor barod er mwyn arbed ei groen ei hun. Ond o fewn ychydig fisoedd bu'n rhaid i'r beirniaid hwythau newid eu cân. Nid troi cefn yn ymwybodol ar Glyn Dŵr a wnaeth y mwyafrif yn gymaint â gorfod derbyn – yn aml, yn ddios, yn groes i'r graen – mai ofer oedd iddynt geisio ei gefnogi mwyach. Nid oedd ganddynt ddewis ond plygu i'r drefn, a threfn Seisnig oedd honno unwaith eto erbyn hyn. Mae'r hyn a ddigwyddodd yn sir y Fflint a Dinbych yn ddrych o'r hyn a ddigwyddodd ar draws Cymru. Un o arweinwyr y rhyfel ar ran Owain yn yr ardal hon oedd gŵr o'r enw Hywel Gwynedd. Bu'n ymosod ar drefi Seisnig sir y Fflint o'i guddfan ar fynydd Helygain, ond ym mis Mawrth 1406 fe'i lladdwyd mewn cyrch. O'r diwrnod hwnnw dechreuodd gafael Owain ar yr ardal lacio. Erbyn Mawrth 1407 gallai Sir Gilbert Talbot, ustus y brenin, fentro i Fflint, Dinbych a Rhuthun. Daeth cynrychiolwyr yr ardaloedd hyn ger ei fron a throsglwyddo eu gwrogaeth yn ôl i frenin Lloegr a'r arglwyddi Seisnig. Diflannai'r freuddwyd o dywysogaeth annibynnol Gymreig fel niwl y bore o flaen eu llygaid.

A dyna'r stori yng Nghydweli a Cheredigion, ym Mhowys a bro Gŵyr. Erbyn diwedd 1407 yr unig ardaloedd yr oedd gan Owain ryw lun o ddylanwad ynddynt bellach oedd siroedd y gorllewin a'r gogledd – Meirionnydd a rhannau o Gaernarfon a gogledd Ceredigion. Ar yr union adeg pan oedd ardaloedd cyfain yn cydnabod nad oedd gobaith bellach i Owain ac mai doethach oedd ildio ar y telerau gorau y gallent eu trefnu, cafodd Owain ddyrnod drom arall. Gaeaf 1407–8 oedd un o'r gaeafau gerwinaf yn hanes Cymru. Nid cynnal gobeithion a rhwysg tywysog oedd y frwydr bennaf yn ystod y gaeaf hwnnw, ond cadw'n fyw. Newyn ac oerfel, nid y Saeson, oedd y gelynion pennaf yn ystod y misoedd geirw hynny. Gallai Owain ei hun dystio i hynny. Yr oedd ef a gweddill ei deulu wedi dianc i ddiogelwch castell Harlech yn awr eu cyfyngder, ond ni allai muriau'r castell eu harbed rhag newyn. Bellach dim ond dau gastell o bwys oedd yn dal o dan awdurdod Owain – Harlech ac Aberystwyth. Heb adnoddau a heb arfau, mater o amser yn unig oedd hi cyn y byddai'r Saeson yn adennill y ddau gastell hyn hefyd.

Gwyddai'r llywodraeth yn Llundain fod Owain ar ei liniau bellach, a gwyddai hefyd pe cipid y ddau gastell y byddai'n ddyrnod farwol i obeithion y Cymry. Roedd y Saeson yn benderfynol o wneud hynny mewn steil. Wedi'r cyfan, roedd y Cymry wedi eu trechu dro ar ôl tro dros gyfnod o saith mlynedd ac wedi dangos mor gwbl aneffeithiol oedd ymgyrchoedd drudfawr y byddinoedd Seisnig yng Nghymru. Dyma gyfle i dalu'r pwyth yn ôl. Rhaid oedd bychanu'r Cymry ym mherfeddion eu gwlad eu hunain, a throi'r fuddugoliaeth derfynol dros Owain yn ddrama gofiadwy y medrid ei hailadrodd yng nghylchoedd sifalri'r dydd a'i chyhoeddi ar strydoedd Llundain. Aethpwyd ati i osod y llwyfan yn ofalus.

Y gŵr oedd i gael y rhan amlycaf yn y ddrama hon oedd Harri, mab y brenin Harri IV. Llanc ugain oed oedd Harri ym 1407 ond roedd ganddo eisoes brofiad helaeth o ryfela. Roedd ganddo ddau reswm personol dros ennill buddugoliaeth derfynol yn erbyn Owain Glyn Dŵr. Yn gyntaf, ef, yn ei dyb ei hun, oedd tywysog Cymru. Dyna'r teitl a roddwyd iddo gan ei dad ym 1399. Felly, haerllugrwydd o'r mwyaf, a sialens bersonol iddo ef, oedd fod gŵr arall, Owain Glyn Dŵr, yn honni mai ef oedd gwir dywysog Cymru a'i fod yn cael ei gydnabod felly gan fwyafrif poblogaeth y wlad a chan frenin Ffrainc. Rhaid oedd setlo'r mater yn derfynol. Yn ail, roedd hi'n bryd i Harri wneud ei farc yn filwrol. Dyma flynyddoedd prentisiaeth y gŵr a ddaeth ymhen amser yn un o arwyr milwrol mawr Lloegr, ac a fawrygwyd am ei fuddugoliaeth ryfeddol dros y Ffrancwyr yn Agincourt ym 1415. Ond, hyd yma, digon dilewyrch fu ei yrfa filwrol yng Nghymru. Roedd hi'n hen bryd iddo gael pluen yn ei het a pha ffordd well i wneud hynny na thrwy adennill castell Aberystwyth oddi ar Owain Glyn Dŵr?

Daeth â gosgordd o bobl bwysig gydag ef i fod yn dystion i'w fuddugoliaeth; yn eu plith yr oedd Dug Efrog ac Iarll Warwick. Casglwyd byddin sylweddol at ei gilydd, llogwyd magnelau ac offer gwarchae gorau'r dydd, a chludwyd arfau ac adnoddau ar longau o Fryste a Hwlffordd. Ymddangosai nad oedd obaith i'r Cymry. Capten Aberystwyth ar ran Owain oedd un o'i brif gadfridogion, Rhys Ddu, gŵr blaenllaw o Geredigion. Nid dyn i roi'r ffidil yn y to yn rhwydd oedd Rhys, ond gwyddai fod y stôr o fwyd ac arfau yn y castell bron ar ben. Taro bargen â'r gelyn oedd ddoethaf. Nid gweithred lwfr mo hynny o gwbl; i'r gwrthwyneb, dyma un o arferion cydnabyddedig rhyfeloedd y dydd – ildio pan oedd yn amlwg nad oedd obaith bellach, ar yr amod yr arbedid bywydau'r amddiffynwyr. Pa bwrpas oedd i Rhys Ddu aberthu ei griw bychan o amddiffynwyr i drugaredd y lluoedd enfawr a amgylchynai'r castell?

Felly ar 12 Medi 1407 trefnwyd cytundeb rhwng byddin y Tywysog Harri ar y naill law a Rhys Ddu a'i ddilynwyr ar y llall. Byddai cadoediad am chwe wythnos, ar yr amod na fyddai'r naill na'r llall yn manteisio ar y cyfnod hwnnw i atgyfnerthu eu lluoedd. Wedi i'r cyfnod hwnnw ddod i ben, byddai gan Owain Glyn Dŵr wythnos o amser i geisio codi'r gwarchae ac arbed y castell. Os na lwyddai Owain i wneud hynny, cytunwyd y byddid yn trosglwyddo'r castell i'r Saeson ac y byddai Rhys Ddu a'i griw'n tyngu llw o wrogaeth i'r Tywysog Harri. Dyna i bob pwrpas fyddai pennod olaf y gwrthryfel yng Nghymru. Roedd yr argoelion mor obeithiol mai dyna'n wir fyddai'n digwydd, nes i'r brenin Harri IV ei hun drefnu dod i Gymru erbyn mis Hydref i dderbyn gwrogaeth ei ddeiliaid Cymreig ac i ddathlu ei fuddugoliaeth derfynol dros y Cymry a thros Owain.

Byddai pob proffwyd gwleidyddol wedi cytuno bod awr olaf rhyfel Owain wrth law. Ond ni chytunai un gŵr â'r broffwydoliaeth honno. Owain Glyn Dŵr oedd y gŵr hwnnw. Roedd yn benderfynol o wadu awr ei ogoniant i'r Tywysog Harri a'i dad. Mae ei ymateb yn werth ei ddyfynnu yng ngeiriau'r cronicl Cymraeg a ysgrifennwyd ychydig flynyddoedd yn ddiweddarach:

Aeth Rhys Ddu i Wynedd i ofyn caniatâd Owain i drosglwyddo castell Aberystwyth i'r Saeson (yn ôl cytundeb 12 Medi 1407). Cadwodd Owain Rhys gydag ef nes iddo ef (Owain) gael amser i gynnull byddin. Yna aeth Owain gyda Rhys i Aberystwyth. Bygythiodd Owain dorri pen Rhys i ffwrdd oni ildiai Rhys y castell i Owain. Cytunwyd i roi'r castell i Owain ar unwaith!

Roedd daroganau'r proffwydi'n deilchion. Harri, nid Owain, a gollodd y dydd. Gyda'r gaeaf ar eu gwarthaf, penderfynodd lluoedd Lloegr roi'r gorau i'r gwarchae a dychwelyd i Loegr. Hawdd dychmygu'r chwerwedd a'r siom yn llysoedd brenin Lloegr a'i fab. Unwaith eto yr oedd y mymryn rebel hwn o Gymru wedi herio nerth a lluoedd brenin Lloegr a'u gwneud yn destun gwawd.

Mae'r ddrama yn Aberystwyth yn hydref 1407 yn un o episodau mwyaf dramatig y rhyfel. Byddai defnydd ffilm ragorol ynddi, rhyw *Braveheart* Cymreig. Dyma fuddugoliaeth Dafydd dros Goliath, mwy cofiadwy hyd yn oed nag ystum beiddgar Rhys a Gwilym ap Tudur yn cipio castell Conwy yn Ebrill 1401. Dyma'r cip gorau a gawn o bosib ar y carisma a'r dewrder di-gyfri'r-gost a wnaeth Owain Glyn Dŵr yn arweinydd mor eithriadol. Mae'r ffordd yr ymatebodd i gais Rhys Ddu a'i benderfyniad beiddgar i godi gwarchae'r castell yn egluro'n well nag unrhyw ddogfen pam fod cynifer o Gymry wedi dilyn Owain yn ei ddydd a thrysori'r cof amdano wedi ei farw. Dyma ŵr a oedd yn wir yn arweinydd dynion, o bosib y mwyaf a welodd Cymru erioed.

Ond y gwir amdani yw mai gohirio'r diwedd, nid ei rwystro, a wnaeth Owain yn Aberystwyth yn ystod hydref

1407. Bellach nid oedd posib dileu'r ysgrifen ar y mur. Mae geiriau cynnil, telegraffig y cronicl Cymreig yn huawdl ryfeddol yn eu moelni:

1408. Daeth castell Aberystwyth o dan warchae gan y Saeson am yr eil dro. Y tro hwn fe'i henillwyd ganddynt heb symud o'r fan a'r lle. O Aberystwyth aeth y fyddin Seisnig i Harlech. Yno bu farw llawer o wŷr amlwg (boneddigion) Cymru. Ac o'r diwedd fe fu'n rhaid ildio'r castell i'r Saeson.

Yn swyddogol ac yng ngolwg y Saeson dyma'r garreg fedd ar ryfel Owain Glyn Dŵr. O'r diwedd gellid tanio'r coelcerthi i ddathlu yn Lloegr a threfnu gorymdaith fuddugoliaethus trwy strydoedd Llundain.

Ni ellir amau nad oedd colli Aberystwyth a Harlech yn ergydion trymion i Owain. Bellach nid oedd ganddo gastell lle y gallai gynnal llys na ffugio bod yn dywysog. Herwr, *bandit*, bellach oedd y gŵr a honnai gynt ei fod yn dywysog Cymru ac a groesawai lysgenhadon o Ffrainc a derbyn rhoddion gan eu brenin. Roedd ar drugaredd ei weddill ffyddlon o gyfeillion am ymgeledd, lloches a bwyd. Ffoi o un lle i'r llall oedd ei ran. Treuliai ei ddyddiau – ac yntau erbyn hyn mewn gwth o oedran yn ôl safonau ei ddydd – yn byw mewn ofn o gael ei fradychu. Byddai ambell un wedi ei gysuro drwy honni y gellid ailgynnau fflam gwrthryfel. Trefnodd i anfon dau lysgennad i Baris ym Mai 1408 a byddai ambell adroddiad am ysgarmesoedd llwyddiannus yn y mynyddoedd yn erbyn swyddogion Seisnig yn rhoi mymryn o wefr iddo. Ond, mewn gwirionedd, anodd iawn oedd rhwystro Owain rhag llithro i bwll anobaith erbyn haf 1409. Oni fyddai'n werth ceisio taro bargen â'r Saeson yn awr eu buddugoliaeth a chael hawl i dreulio'r ychydig flynyddoedd oedd ar ôl iddo mewn heddwch? Wedi'r cyfan, bu sôn am gynnig telerau heddwch i Owain fwy nag unwaith ym mlynyddoedd cynnar y rhyfel. Ac unwaith eto ym 1415–16 cynigiodd y llywodraeth yn Llundain wneud cymod ag Owain a'i gefnogwyr, cyn belled ag y byddent yn talu gwrogaeth i'r brenin a derbyn ei awdurdod.

Ond ni ddaeth dim o'r fath gynigion nac o'r trafodaethau a gynhaliwyd yn eu sgil. Yn awr eu buddugoliaeth yn Aberystwyth a Harlech, dichon fod y brenin a'i gynghorwyr yn gyndyn o gynnig maddeuant i hen rebel calongaled fel Owain a oedd wedi bod yn ddraenen yn eu hystlys gyhyd. Ond dichon mai dyn balch digymod, di-ildio oedd Owain hefyd. Dyna'r argraff a gawn yn y dull yr ymatebodd i gais Rhys Ddu i ildio castell Aberystwyth i'r Saeson. Gwell o bosib ganddo fynd i'w fedd yn dlotyn ac yn ffoadur, ond gyda'i freuddwyd yn dal yn ei fynwes, na phlygu glin yn wasaidd i rym y Sais.

Gallwn chwilio am y rheswm dros ddyfalbarhad, neu ystyfnigrwydd, rhyfeddol Owain yn wyneb y fath golledion ym mhlygion ei bersonoliaeth. Ond dylem chwilio mewn un man arall hefyd – yn nheyrngarwch rhyfeddol y Cymry i Owain hyd yn oed yn nyfnder ei golledion. Nid cwymp Aberystwyth a Harlech sy'n rhyfeddol; roedd hynny'n anorfod unwaith y cyfeiriwyd holl rym a thechnoleg milwrol Lloegr yn erbyn y ddau gastell. Camp Owain wedi 1408 oedd cadw cefnogaeth ac ymddiriedaeth cynifer o'i ddilynwyr dros y blynyddoedd nesaf. Yn swyddogol bu raid i lawer ohonynt, yn unigolion ac yn gymunedau, blygu glin i'r drefn Seisnig a thalu gwrogaeth i frenin Lloegr ond, yn eu calonnau, ni phallodd fflam eu teyrngarwch i Owain.

Mudlosgodd y rhyfel am flynyddoedd wedi cwymp Aberystwyth a Harlech. Nid oedd yr un o gefnogwyr mwyaf pybyr ac allweddol Owain wedi troi cefn arno hyd yn oed yn awr ei gyfyngder. Gwyddom fod yr Esgob Sion Trefor, Gruffudd Yonge (ei ganghellor a'r dyn a enwebwyd ganddo i fod yn esgob Bangor), Rhys Ddu (capten castell Aberystwyth ar ei ran), Philip Hanmer (ei frawd-yng-nghyfraith) a Rhys ap Tudur (arwr cipio castell Conwy) wedi aros yn driw iddo i'r eithaf. Yn wir, talodd Rhys Ddu a Rhys ap Tudur y gosb eithaf ar ei ran: cafodd y naill ei grogi gan y Saeson yn Llundain a'r llall yng Nghaer. Nid oes gwell prawf o ddyfnder apêl Owain a'i freuddwyd na pharodrwydd dynion o'r fath – dynion a fedrai'n hawdd iawn fod wedi gwneud eu cymod â'r llywodraeth Seisnig – i lynu ato i'r eithaf.

Ac nid dewis y dyrnaid ffyddlon, penstiff yn unig oedd glynu at Owain. Ar draws Cymru dros y blynyddoedd wedi 1408 yr hyn sydd yn rhyfeddol yw'r gefnogaeth gudd a gafodd Owain gyhyd. Yn swyddogol, roedd y gwrthryfel ar ben, ond nid felly'r casineb tuag at y drefn Seisnig a'r awydd am ddial. Nid oedd yn ddiogel i swyddogion y llywodraeth fentro i rannau o Gymru heb osgordd sylweddol i'w hebrwng. Rhaid oedd cadw llygad barcud ar rai ardaloedd rhag ofn i'r rhyfel ailddechrau. Mor ddiweddar â 1412 anfonwyd dwy gatrawd sylweddol o filwyr i'r Bala a Chymer yn Sir Feirionnydd, gymaint oedd yr ofn y byddai trigolion y fro yn ailgynnau'r rhyfel. Mewn ardaloedd eraill – gan gynnwys ardaloedd y ffin, megis arglwyddiaeth Croesoswallt – gwell oedd gan y swyddogion lleol daro bargen â gweddill cefnogwyr Glyn Dŵr a thalu iddynt iawndal – rhyw fath o *protection money* – yn hytrach na wynebu eu dialedd. Mae parodrwydd unigolion a chymunedau ar draws Cymru i ddal ati i gefnogi Owain a'i gynlluniau ac i ddial ar ei elynion hyd yn oed yn awr eu buddugoliaeth yn dangos nad arwynebol oedd eu hymroddiad iddo. Roedd dyfnder eithriadol i'r argyhoeddiadau yr oedd rhyfel Owain wedi eu cyniwair.

Tyst o hynny yw'r hyn a ddigwyddodd i Ddafydd Gam. Mae gyrfa Dafydd Gam yn ddrych o yrfa sawl Cymro o'r fath yn oes Glyn Dŵr. Cynrychiolai Dafydd y garfan sylweddol honno o Gymry a gredai mai cwbl ofer oedd ceisio dad-wneud y drefn Seisnig yng Nghymru. Gwell o lawer yn eu barn hwy oedd cydweithio â'r drefn honno na pheryglu'r cyfan wrth geisio gwireddu rhyw freuddwyd rithiol, afreal am Gymru annibynnol. Wedi'r cyfan, onid oedd llawer o'r Cymry wedi manteisio ar y drefn Seisnig i'w pwrpasau eu hunain? Gwell derbyn y byd fel ag yr oedd na gwrando ar ddaroganau'r beirdd a phwyso ar draddodiadau tywyll am ryw ogoniant a fu.

Byddai llawer o gyfoeswyr Owain wedi rhannu'r fath deimladau. Yn eu plith yr oedd Hwlcyn Llwyd o Ddinlle a Ieuan ap Maredudd o Eifionydd, dau Gymro o waed coch cyfan a amddiffynnodd gastell Caernarfon ar ran brenin Lloegr yn nyddiau anterth rhyfel Glyn Dŵr. Dau arall y gwyddom amdanynt a safodd yn gadarn yn erbyn Owain oedd Einion ab Ithel o Benllyn a Hywel Sele ap Meurig o Nannau. Ond yr enwocaf oedd Dafydd Gam. Ni allai neb amau nad oedd Dafydd o dras bonheddig, Cymreig, diledryw. Byddai datgan ei enw'n ddigon i brofi hynny: Dafydd Gam ap Llywelyn ap Hywel Fychan ap Hywel ap Einion Sais ac felly yn ôl hyd at Fleddyn ap Maenyrch, tywysog Brycheiniog. Bu Dafydd a'i hynafiaid yn llywodraethu ym Mrycheiniog ers cenedlaethau ac nid oeddent wedi cael gronyn o drafferth ymaddasu i'r drefn Seisnig yno a manteisio arni o ran swyddi, tiroedd a rhoddion.

Nid oedd Dafydd Gam am fentro llewyrch a llwyddiant ei deulu trwy gefnogi Owain yn ei antur gwbl anghyfrifol a chymryd rhan mewn menter nad oedd gobaith o lwyddiant iddi. Safodd yn gadarn yn erbyn Owain a'i gefnogwyr. Yn ôl un chwedl bu mor hy â sleifio i'r senedd a gynhaliodd Owain ym Machynlleth ym 1404 gyda'r bwriad o ladd Owain. Ni lwyddodd yn ei fenter. Fe'i daliwyd ac ni chafodd ei ryddhau (yn ôl yr hanes) nes iddo wneud addewid i gefnogi Owain. Nid oes cofnod hanesyddol i gadarnhau'r stori, ond erys gwerth y chwedl, serch hynny. Dengys fel y daeth Dafydd i ymgorffori'r elyniaeth yn erbyn Glyn Dŵr ymhlith llawer o'i gyd-Gymry – nid arweinydd heb ei elynion dialgar a mentrus o fewn Cymru ei hun oedd Owain.

Bu Dafydd yn flaenllaw yn gwrthsefyll cynlluniau Glyn Dŵr, yn arbennig felly yn ne-ddwyrain Cymru. Gwyddom iddo, mae'n fwy na thebyg, gymryd rhan amlwg ym muddugoliaeth y Saeson ym Mhwll Melyn ger Brynbuga ym Mai 1405. Ac fe dalodd ef a'i deulu'n ddrud iawn am eu safiad. Fe losgwyd ystadau ei dad a'i erlid gan ei gyd-Gymry am wrthwynebu Owain. Ond Dafydd Gam ei hun a dalodd y gosb fwyaf. Yn gynnar ym 1412 – bron i bedair blynedd wedi cwymp Aberystwyth a Harlech i ddwylo'r Saeson – cipiwyd Dafydd gan rai o ddilynwyr Owain a'i garcharu. Nid stori fach leol yn unig oedd hon. Roedd yn ergyd ddigon syfrdanol i haeddu sylw prif groniclwyr Lloegr. Heddiw, byddai criw teledu wedi cael ei ddanfon ar unwaith i'r fan lle y digwyddodd yr herwgipio beiddgar. Fe ryddhawyd Dafydd erbyn mis Awst ond ar yr amod y byddai'n talu pridwerth enfawr. Bu codi'r arian i dalu'r pridwerth hwnnw'n faich enfawr ar Dafydd a'i deulu; mesur o hynny yw fod y brenin wedi rhoi'r hawl iddo fynd o gwmpas Brycheiniog i gasglu 'commortha'; mewn gair, i godi treth breifat i'w ddigolledu ei hun. Ond er gwaetha'i holl dreialon, cadwodd Dafydd yn gwbl deyrngar i'w feistri Seisnig. Ym 1415 cododd fintai o filwyr o Frycheiniog i fynd i Ffrainc i wasanaethu Harri V; bu farw wrth wasanaethu'r brenin hwnnw ar faes Agincourt. Ond yr hyn sy'n drawiadol i ni yn y cyswllt presennol yw fod ymlyniad llawer o Gymry i Owain Glyn Dŵr, a'u parodrwydd i fentro'n feiddgar ar ei ran, mor danbaid ag y bu erioed ym 1412 – dros ddeuddeng mlynedd wedi dechrau'r rhyfel. Ni ellid gwell teyrnged i afael Owain Glyn Dŵr a'i freuddwyd ar ddychymyg ac ymroddiad ei gyd-Gymry.

Ni ellir gosod dyddiad terfynol ar ryfel Owain. Gallwn roi dyddiad ar gwymp cestyll Aberystwyth a Harlech a gallwn amlinellu fel y penderfynodd un gymuned ar ôl y llall ar draws Cymru wneud heddwch â'r brenin. Ond fel y dengys stori herwgipio Dafydd Gam ym 1412 mudlosgodd y rhyfel am flynyddoedd yng nghalonnau cefnogwyr mwyaf pybyr Owain. Os oes rhaid cynnig un dyddiad fel man terfyn y rhyfel mawr, dydd Sadwrn 10 Mawrth 1414 yw hwnnw. Ar y diwrnod hwnnw cynhaliodd Iarll Arwndel, Sir Edward Charlton (arglwydd Powys) a David Holbache (sefydlydd ysgol Amwythig) sesiwn gyfreithiol ar ran y brenin yn y Bala. Plygodd chwe chan gŵr o'r ardal ar eu gliniau gerbron y tri ustus a thyngu llw ar yr Ysgrythurau y byddent yn ddeiliaid teyrngar i frenin Lloegr ac na fyddent byth eto'n gwrthryfela yn ei erbyn. Mae'r Bala ryw ddeng milltir go dda o Lyndyfrdwy lle cynheuwyd fflam y rhyfel mawr ym Medi 1400. Mynyddoedd a chocdwigocdd Mcirionnydd oedd cadarnle mudiad Owain; nid oedd iddo, yn swyddogol beth bynnag, guddfan yno bellach. O golli Meirion roedd wedi colli Cymru gyfan.

Hawdd dychmygu'r siom ym mynwes Owain pan dorrwyd iddo'r newydd am yr hyn a ddigwyddodd yn y Bala. Roedd yn hen ŵr torcalonnus a diymgeledd erbyn hyn. Nid yn unig yr oedd ei freuddwyd wedi ei chwalu'n llwyr, roedd ei golledion personol hefyd yn enfawr. Dichon y pwysai pob un ohonynt yn drwm arno ym machlud ei ddyddiau. Lladdwyd ei frawd Tudur ym mrwydr Pwll Melyn. Cymerwyd Gruffudd, mab Owain, yn garcharor yn yr un frwydr; bu farw o'r pla ac yntau'n dal yn garcharor yn Nhŵr Llundain ym 1411. Hyd y gwyddom dim ond un mab, Maredudd, a oroesodd y rhyfel ac a allai gynnig rhyw gymaint o gysur i'w dad yn ei ddyddiau olaf. Roedd Edmwnd Mortimer, mab-yng-nghyfraith Owain, wedi marw yng nghastell Harlech, a phan syrthiodd y castell hwnnw i ddwylo'r Saeson yn ystod gaeaf 1408–9 cymerwyd gwraig Owain – y wraig a glodforwyd gan Iolo Goch fel 'y wraig orau o'r gwragedd' – a dwy o'u merched a thair wyres fach yn garcharorion. Bu farw un o'r merched (gweddw Edmwnd Mortimer) a dwy o'i merched hi yn Nhŵr Llundain ym 1413 a chael eu claddu yn Llundain ym mynwent eglwys St Swithin.

Roedd cwpan trallod Owain yn llawn i'r ymylon yn y blynyddoedd torcalonnus hyn. Bellach, yn ôl yr unig groniclydd cyfoes sy'n sôn am ei flynyddoedd olaf, 'roedd yn ffoadur diymgeledd yn cuddio mewn ogofâu ac yn y coedwigoedd ar y mynyddoedd'. Mae'n siŵr ei fod wedi holi ei hun sawl tro a ddylai erioed fod wedi gwrando ar y proffwydi a'r beirdd. Onid gwell fyddai pe bai wedi dewis bywyd tawel a lled foethus Sycharth yn hytrach na cholli popeth – yn deulu, eiddo, ystadau a chysuron bywyd – yn enw rhyw freuddwyd o Gymru rydd ac yntau'n dywysog arni? Beth oedd ar ôl i'w weld ar ôl blynyddoedd o galedi ac aberth? Ai ffolineb dybryd, camgymeriad hurt, fu'r cyfan ar ei ran ef a'i gefnogwyr?

Dim ond un ateb, mewn gwirionedd, oedd ar gael i'r

cwestiynau dirdynnol hyn. Wedi'r cyfan, nid uchelgais bersonol oedd y tu cefn i'r rhyfel, ond breuddwyd fawr, a breuddwyd yr oedd llawer o Gymry'r dydd yn gyfrannog ohoni. Nid oes posib gwrthsefyll argyhoeddiad breuddwyd. Mae'n mynnu ufudd-dod, a hynny hyd angau. 'Ni allaf ddianc rhag hon.' Fel ym mhob rhyfel roedd cymhellion ac amcanion cefnogwyr Owain yn amrywiol a chymysg, mae'n siŵr. Cyfle i ollwng stêm i ambell un, i ddial ar draha'r Sais i'r llall; cyfle i gael tipyn o antur i hwn, a chyfle i ysbeilio a lladrata i'r llall. Ond ni ellir cynnal rhyfel am bedair, saith heb sôn am ddeuddeng mlynedd heb fod gwefr ac argyhoeddiad yn ddwfn yng nghalonnau trwch y rhai a'i cefnogai. Rhyfel dros gyfiawnder ac annibyniaeth oedd rhyfel Owain. Dal i gredu hynny fyddai ei unig gysur ym misoedd olaf ei oes.

Ceisiodd y llywodraeth yn Llundain drefnu cymod gydag Owain sawl tro yn ystod ei flynyddoedd olaf. Ond gwrthod a wnaeth Owain. Efallai na theimlai y gallai roi coel ar air y Saeson wedi'r holl flynyddoedd o ryfela ac o chwerwedd. Mwy tebyg yw nad oedd yn fodlon, hyd yn oed yn ei wendid eithaf, i blygu glin i'r Sais a thrwy hynny gladdu popeth yr oedd wedi ymladd trosto a chredu ynddo. Gŵr unplyg eithriadol oedd Owain. Gwyddai yn ei galon mai methiant fu ei ymgyrch, ond gwyddai hefyd ei fod wedi rhoi cip i bobl ei wlad ar Gymru wahanol. A hu'r bobl hynny'n driw iddo i'r eithaf. Ni fentrodd neb ei fradychu i'r Saeson. Dyna'r deyrnged fwyaf a'r olaf i'w fawredd.

Ni wyddom ble y treuliodd Owain Glyn Dŵr ei fisoedd olaf. Ni wyddom ychwaith pryd na ble y bu farw. Naturiol iawn yw fod llawer dros y canrifoedd wedi credu a honni y gwyddent ble y'i claddwyd. Nid felly ei gyfoeswyr; gwyddent hwy yn well mai rhan o ddirgelwch Owain oedd diogelu dirgelwch ei farwolaeth. Adda o Frynbuga – gŵr a oedd yn gyfoeswr i Owain ac a oedd wedi ei gefnogi yn ei ymgyrch – yw'r tyst gorau. 'Fe'i claddwyd liw nos gan ei ddilynwyr,' meddai. 'Ond darganfu ei elynion man ei gladdu, ac felly penderfynwyd ei ailgladdu mewn lle arall. Ni wyddys lle y gorwedd ei weddillion.' Mae tystiolaeth y cronicl Cymraeg a gyfansoddwyd o fewn cenhedlaeth i'w farw'n fwy awgrymog fyth. O dan y flwyddyn 1415 cofnodir fel a ganlyn: 'Diflannodd Owain ar ŵyl Matthew yn y Cynhaeaf (21 Medi). Ni wyddys ymhle yr oedd ei guddfan wedi hynny. Dywed llawer iddo farw, ond dywed y brudwyr [y proffwydi] na fu farw.' Dyna'r gair olaf a gofnodir am Owain, ac un priodol iawn ydyw. Bellach roedd ei yrfa ar ben, ond o'i flaen ar draws y canrifoedd agorai gyrfa gwbl newydd, fel arwr cenedlaethol y Cymry.

Owain Glyn Dŵr: Arwr y Genedl

Pan fu farw Owain Glyn Dŵr – rhyw dro yn ystod 1415–16, mae'n debyg – ni chanodd unrhyw fardd, hyd y gwyddom, ei farwnad. Nid oes gennym alarnad megis yr un fythgofiadwy a gyfansoddodd Gruffudd ab yr Ynad Coch wedi lladd Llywelyn ap Gruffudd ym 1282. Ac eto, ar un ystyr, yr oedd dyfnder siom methiant Owain gymaint yn ddyfnach a mwy terfynol na methiant Llywelyn. Tywysog Gwynedd a ddaeth yn Dywysog Cymru ac a gydnabuwyd felly gan frenin Lloegr oedd Llywelyn. Roedd hynny'n gamp ynddo'i hun, ond ansicr ac anghyflawn iawn oedd gafael Llywelyn ar lawer rhan o Gymru ac ar deyrngarwch ei phobl. Nid felly Owain. O ddiwrnod cyntaf ei ryfel ni hawliodd ddim llai na bod yn Dywysog Cymru. Ni chafodd, wrth gwrs, gefnogaeth pawb o bell ffordd ac ni lwyddodd i erlid y Saeson a'u cefnogwyr o'u cestyll a'u trefi. Ond cafodd, mae'n fwy na thebyg, fesur helaethach o gefnogaeth gan drwch pobl Cymru a dod â mwy o'r wlad o fewn maes ei awdurdod nag unrhyw arweinydd arall yn hanes y wlad. Ac fel y gwelsom, roedd ei freuddwydion ar gyfer y wlad fel uned wleidyddol ac eglwysig yn fwy uchelgeisiol a herfeiddiol na rhai unrhyw un o'i ragflaenwyr. Ef oedd gwir awdur Cymru Fydd.

Gan fod ei uchelgais yn un mor ddyrchafedig roedd ei gwymp a'i fethiant gymaint yn fwy. Erbyn 1415 roedd ei freuddwyd yn deilchion, yn bersonol ac yn genedlaethol. Ac roedd rhyw derfynoldeb di-droi'n-ôl yn y methiant hwn. Os na allai Owain lwyddo pan oedd cymaint o'i blaid – trafferthion gwleidyddol Lloegr, cefnogaeth ymarferol brenin Ffrainc, teyrngarwch trwch poblogaeth Cymru – ofer fyddai unrhyw ymdrech arall. Dyna'r wers a ddysgodd llawer o Gymry blaenllaw'r dydd. Gwell derbyn y drefn Seisnig fel ag yr oedd hi a chydweithio â hi na brwydro'n ofer am ryw Gymru newydd nad oedd bellach obaith iddi fod o fewn cyrraedd. Fe gladdwyd Cymru Fydd Owain yn fuan iawn wedi ei geni. Pennod olaf y gorffennol, nid pennod gyntaf y dyfodol, oedd hi.

A phennod chwerw iawn ar ben hynny. Pe gofynnid i lawer o Gymry ym 1420, dyweder, beth oedd gwaddol Glyn Dŵr i'w wlad byddai'r ateb yn ddamniol o boenus: dinistr a thlodi ymhob cyfeiriad, cosbau ariannol trwm ar gymunedau cyfain am gefnogi Owain, ystadau wedi eu fforffedu, anwyliaid wedi eu lladd neu wedi marw o newyn. Ar ben hynny fe chwalwyd unrhyw ymddiriedaeth a fu gynt rhwng Cymry a Saeson. Lle bu cydweithio, yn awr yr oedd drwgdybio, ar y ddwy ochr. Ni allai'r Saeson ymddiried yn y Cymry fyth mwyach:

Beware of Wales, Christ Jesus must us keep,
That it make not our children's child to weep.

Dyna farn un bardd o Sais o fewn cenhedlaeth i farwolaeth Owain: rhaid oedd bod ar wyliadwriaeth bob amser wrth drafod y Cymry bellach.

I'r Cymry hynny a fynnai droi eu cefnau ar y cof am Glyn Dŵr a mynd ati i ailadeiladu eu bywydau, roedd maen tramgwydd enfawr yn eu hwynebu, sef y Deddfau Penyd a basiwyd gan y Senedd yn Lloegr ym 1401–2. Bwriad y deddfau hynny oedd cau bron pob drws o bwys i Gymro yng Nghymru a thu hwnt i Gymru. Yn statudol, bellach ni allai Cymry (na hyd yn oed Sais oedd wedi priodi Cymraes) ddal swydd o bwys yng Nghymru na chofrestru fel bwrdais yn un o drefi Cymru na phrynu tir yn y trefi yno nac yn nhrefi gororau Lloegr. Mater o ddeddf oedd hi bellach fod y Cymry a'r Saeson yn ddwy genedl wahanol a bod y Cymry'n israddol a dirmygedig yn eu gwlad eu hunain. Nid oes gwell enghraifft o'r bwlch enfawr rhwng Saeson a Chymry yn y blynyddoedd wedi rhyfel Glyn Dŵr na'r datganiad a wnaed yn senedd Lloegr. Mae'n cyfeirio'n gwbl ddiflewyn-ar-dafod at 'yr hen gasineb a drwgdybiaeth ar ran y Cymry tuag at y Saeson' ac yn datgan bod bwlch anfesuradwy rhwng y rhai oedd yn 'Saeson o ran eu cefndir a'u hymarweddiad' a'r rhai oedd yn Gymry 'o dras ac o argyhoeddiad calon'.

Dyfnhau'r bwlch rhwng Cymry a Saeson, felly, oedd rhan o waddol Owain Glyn Dŵr. Nid oes angen credu bod y Deddfau Penyd wedi cael eu gweithredu i'r eithaf yng Nghymru. Fel ymhob oes, un peth yw deddfu, peth arall yw gweithredu. Ond nid oes dwywaith ychwaith nad oedd y deddfau'n symbol amlwg o gaethiwed y Cymry. Os oedd unrhyw Sais bellach yn teimlo ei fod yn cael cam, hawdd oedd iddo ddefnyddio'r Deddfau Penyd i ddial ar y Cymry. Ym 1417 erlidiwyd un o brif ddinasyddion Conwy o'i swydd oherwydd ei fod ef, ac yntau'n Sais, wedi priodi Cymraes; ugain mlynedd yn ddiweddarach collodd un o brif swyddogion Ogwr (ym Morgannwg) ei swydd oherwydd y sibrydion ei fod 'yn Gymro o waed coch cyfan ar ochr ei dad a'i fam'. Dim ond dwy enghraifft o blith llawer yw'r rhain. I bob pwrpas roedd trefn *apartheid* wedi ei sefydlu yng Nghymru yn sgil y deddfau. Dyna yn bendant oedd barn sylwedyddion yn oes y Tuduriaid. Ychydig iawn o gydymdeimlad oedd gan y sylwedyddion hynny tuag at Owain Glyn Dŵr a'i freuddwydion, ond roedd eu barn am y Deddfau Penyd yn unfryd hallt: 'more heathen than Christian' oedd sylw David Powel; roedd George Owen o Henllys yn fwy deifiol fyth ei farn: 'devised not only for the punishment of Welshmen but to deprive them of good education and make them uncivil and brutish'. Os y Deddfau Penyd oedd prif waddol Owain i Gymru, yna ef, yn anad neb, oedd yn bennaf cyfrifol am ganrif dywyll yn hanes y wlad. Yn hytrach na bod yn waredwr i'w bobl, ef oedd yn gyfrifol am eu caethiwo o'r newydd.

Byddai llawer wedi cytuno â'r farn honno. Nid arwr mo Owain yng ngolwg llawer o wŷr amlycaf Cymru, heb sôn am Loegr, ond dihiryn a theyrnfradwr. Mae'r condemniadau ohono'n britho prif lyfrau hanes cyfnod y Tuduriaid: 'that most profligate rebel', 'that impostor of a prince', 'a wicked and presumptuous man'. Yn yr oes honno nid oedd gronyn o gydymdeimlad ag unrhyw un a feiddiai amau awdurdod y brenin, heb sôn am wrthryfela yn ei erbyn. Y cof arall am Owain oedd ei fod yn ddinistriwr heb ei ail. Pan ddaeth John Leland ar ei daith trwy Gymru rhestrodd gastell ar ôl castell a thref ar ôl tref oedd wedi cael eu dinistrio a'u llosgi gan Owain. Dyna hefyd farn William Camden yn ei ddisgrifiad clasurol o Brydain (gan gynnwys Cymru) ym 1586: nododd fel yr oedd Owain wedi llosgi Maesyfed yn ulw ac wedi dinistrio'r eglwys gadeiriol ym Mangor. Nid rhagfarn y Saeson yn unig oedd y fath sylwadau. Cafwyd barn gyffelyb iawn gan lawer o Gymry: yng ngolwg yr Esgob Richard Davies (a gyfieithodd y Testament Newydd i'r Gymraeg) rhyfel Owain oedd y rheswm fod cynifer o lyfrau a llawysgrifau'r Cymry wedi mynd i ddifancoll, tra cyflwynodd Syr John Wynn o Wydir ddarlun cofiadwy o'r ffordd yr anrheithiwyd tref Llanrwst yn ystod y rhyfel. Am genedlaethau, yn wir am ganrifoedd, cadwyd a meithrinwyd y cof hwn am ryfel Owain fel trobwynt cwbl ddinistriol yn hanes Cymru. Prin y gellid adeiladu delwedd arwr o amgylch gŵr oedd wedi gadael ôl creithiau mor ddwfn ar wyneb a chof pob rhan o Gymru.

Sut a phryd, felly, y cychwynnodd y gŵr hwn – ysbeiliwr, dinistriwr, teyrnfradwr – ar y daith a'i gwnaeth yn un o bennaf arwyr, os nad prif arwr, cenedl y Cymry? Ar un ystyr roedd y siwrnai honno wedi dechrau yn ei oes ei hun. Dim ond gŵr oedd yn meddu ar ryw alluoedd goruwchnaturiol a fedrai fod wedi clymu Cymru'n un, gwrthsefyll holl rym brenhiniaeth a byddin Lloegr, ac osgoi pob ymdrech i'w ddal. Roedd ei gamp yn ddirgelwch anesboniadwy i'r Saeson. Credai rhai fod ganddo'r gallu i reoli'r tywydd a'i droi i'w fantais; tybiai eraill ei fod yn dilyn cyngor ei ddewiniaid ei hun. Eco o'r gred hon yw'r darlun a gyflwynodd Shakespeare o Owain: 'that damn'd magician' oedd Owain i'w elynion. Rhan o gyfrinach arwr yw'r gallu i greu gwe o ddirgelwch o'i gwmpas ei hun. Llwyddodd Owain yn y gamp honno yn ystod ei oes.

Camp arall arwr yw creu cyfres o chwedlau am ei wrhydri a'i ddyfeisgarwch a'r rheini'n bwydo'r ddelwedd ohono fel person sy'n meddu ar ddoniau cwbl anghyffredin. Cyffredin, llwydaidd a didaro yw bywydau'r rhan fwyaf ohonom. Er mwyn bod yn gofiadwy rhaid cyflawni rhyw orchest – neu ryw anfadwaith – sydd yn glynu yn y cof a'r cof hwnnw'n cael ei drosglwyddo o un genhedlaeth i'r llall. Tyfodd chwedlau o'r fath o gwmpas Owain ac ychwanegwyd atynt ar draws y blynyddoedd. Nid oes sail hanesyddol gyfoes i odid yr un o'r chwedlau hyn, er mae'n siŵr fod cnewyllyn o wirionedd – enw person neu enw lle, er enghraifft – yn y rhan fwyaf ohonynt. Ond nid gwirionedd hanesyddol sy'n bwysig i gadw cof yn fyw, ond y sôn am ddarlun trawiadol neu fenter herfeiddiol, a'r sôn hwnnw'n werth ei ailadrodd ac felly'n chwyddo ryw gymaint bob tro yr adroddir ef.

Stori o'r fath yw'r chwedl am y gwrthdaro rhwng Owain a Hywel Sele ap Meurig o Nannau. Yn ôl y chwedl cynllwyniodd Hywel i ladd Owain ar ôl iddynt drefnu i gyfarfod â'i gilydd i drafod yr elyniaeth rhyngddynt. Buasai Hywel wedi llwyddo yn ei anfadwaith oni bai fod Owain yn gwisgo siwt o fetel o dan ei ddillad. Cynddeiriogwyd Owain gan dwyll Hywel a phenderfynodd ddial arno yn y fan a'r lle. Llosgodd dŷ Hywel i'r llawr a chladdu Hywel yn fyw ym moncyff coeden dderw. Ddeugain mlynedd yn ddiweddarach, yn ôl y chwedl, canfuwyd gweddillion Hywel yn lludw yn y boncyff. Roedd y goeden, neu yn hytrach ei gweddillion, yn dal i ddwyn yr enw Ceubren yr Ellyll bedair canrif yn ddiweddarach.

Mae cnewllyn o wirionedd yn y chwedl, bid siŵr. Roedd Hywel Sele ap Meurig o Nannau yn berson hanesyddol ac yn un o wrthwynebwyr Owain. I'r graddau hynny, mae'r chwedl yn adlais o'r tyndra a'r rhwygiadau o fewn Cymru yn sgil y rhyfel. Serch hynny, nid oes rhaid llyncu gweddill y stori – na'r cynllwyn i ladd Glyn Dŵr nac ychwaith dynged Hywel Sele. Gwir arwyddocâd y chwedl yw'r ddelwedd o Owain a drosglwyddwyd ar gof gwlad. Dyma ddyn a oedd yn osgoi marwolaeth a chynllwynion ei elynion o drwch blewyn, gŵr hefyd a oedd yn ddychrynllyd yn ei ddialedd. Dyn anghyffredin iawn oedd y fath gymeriad, dyn y cedwid ei gampau ar gof, a dyn a oedd eisoes yn tyfu'n arwr.

Mae chwedl arall yn cynnig gogwydd gwahanol ar garisma Owain Glyn Dŵr. Daeth y chwedl honno i glawr am y tro cyntaf yng nghronicl Elis Gruffudd, milwr o Gymro a ysgrifennodd lyfr hanes eithriadol ddiddorol tua

1540. Mae'r stori'n ymwneud â thalu pridwerth Reginald Grey, arglwydd Rhuthun a Dyffryn Clwyd a herwgipiwyd gan luoedd Owain ym mis Ebrill 1402 (t.42 uchod). Ceisiodd swyddogion Grey dwyllo Owain trwy gynnig talu rhan o'r pridwerth mewn arian ffug, gan dybio na fyddai Owain a'i gynghorwyr yn debyg o sylwi ar y gwahaniaeth rhwng arian dilys ac arian ffug. Ond, wrth gwrs, fe welodd Owain drwy'r ystryw ar ei union, ac fel cosb dyblodd bridwerth Grey. Unwaith eto nid oes rhaid i ni roi coel ar fanylion y chwedl, er bod ei chnewyllyn (sef herwgipio Grey a hawlio pridwerth am ei ryddhau) yn bendant yn gywir. Yr hyn y mae'r chwedl yn ei ddangos yw'r modd yr adeiladwyd delwedd Owain y tro hwn fel gŵr craff, ystrywgar a allai weld trwy unrhyw dwyll ar ran y Saeson. Dyma gymeriad oedd mor glyfar â Houdini ei hun.

Cronnodd llu o chwedlau cyffelyb i'r rhain o gwmpas enw Owain, a hynny ar draws Cymru. Nid rhyw ffigwr pell oedd Owain yng nghof y Cymry, ond gŵr yr oedd ei enw a'i gampau wedi eu gwreiddio'n ddwfn mewn llawer ardal o'r wlad. Fel gyda chynifer o seintiau Cymru – Dewi, Beuno, Derfel ac yn y blaen – rhan o gryfder, a dyfnder, y cof am Owain oedd ei fod wedi cael ei fabwysiadu, megis, yn lleol a chael ei gysylltu â mannau arbennig – ogof fan hyn, tomen fan draw, gwersyll fan arall. I'r graddau hynny, cyflawnodd Owain gamp ryfeddol – daeth yn ŵr wi ym mhobman ar draws Cymru. Er enghraifft, pan deithiodd Daniel Defoe (awdur *Robinson Crusoe*) trwy Frycheiniog a Maesyfed ymron i dair canrif wedi marw Owain, brysiodd trigolion yr ardal i ddangos iddo guddfannau Owain yn eu hardaloedd. Roedd Owain, uchelwr o dras a gŵr a'i cyhoeddodd ei hun yn dywysog, wedi ei anfarwoli yng nghof y werin.

Ond roedd hefyd wedi cael mynediad i oriel

anfarwolion mytholeg y Cymry. Ers bron i fil o flynyddoedd roedd y Cymry wedi coleddu'r gobaith y deuai gwaredwr ryw ddydd i'w harbed o gaethiwed y Saeson a'u hailorseddu fel gwir berchenogion Ynys Prydain. Dyma'r gŵr a adwaenid fel y Mab Darogan. Pwy yn union fyddai'r Mab Darogan a phryd yr ymddangosai i waredu ei bobl oedd y cwestiynau mawr. Roedd sawl enw wedi'i gynnig ei hun yn barod: Cynan, Cadwaladr, Arthur yn eu plith. At yr olyniaeth nodedig hon fe ychwanegwyd enw arall, sef Owain. Ai Owain Glyn Dŵr oedd yr Owain hwnnw? Os felly, sut y gellid cysoni'r gred honno â methiant ei ryfel? Yn syml iawn, drwy honni nad methu a marw fu hanes Owain, ond cilio o'r neilltu – fel Arthur i Afallon gynt – er mwyn ailymddangos yng nghyflawnder yr amser i waredu ei bobl. Dyna arwyddocâd y frawddeg gynnil yn y cronicl Cymreig o dan y flwyddyn 1415: 'Honnai'r mwyafrif ei fod wedi marw, ond barn y brudwyr [h.y. y proffwydi] yw na fu farw'.

Dyna'n wir fyddai anfarwoldeb. Roedd y cof am Owain bellach wedi ei weu i mewn i fytholeg a chof gwlad y Cymry. Tra parai'r fytholeg honno'n fyw – ac fe wnaeth hynny am ganrifoedd – byddai'r cof am Owain a'i orchestion yn aros yn fytholwyrdd. Cof gwlad, cof llafar oedd y cof hwnnw. Gyda'r cyfnewidiadau enfawr yng Nghymru o'r ddeunawfed ganrif ymlaen – yn gymdeithasol ac yn economaidd, yn ieithyddol ac yn ddiwylliannol – byddai'r cof hwnnw'n sicr o bylu. Ni all cymdeithas ddal gafael ar gof nac arwyr sydd bellach yn ddieithr a diystyr iddi; mae yn eu bwrw o'r neilltu ac yn eu troi'n ddefnydd llyfrau hanes. Cymeriadau marw sydd yn trigo mewn llyfrau hanes; rhaid i arwyr y cof gwlad fod yn fythol fyw.

Sut, felly, mewn cyfnod o newid cyflym a chreu Cymru gwbl wahanol, y trysorwyd y cof am Owain Glyn Dŵr a'i rwystro rhag cael ei droi'n un o gerrig beddi'r gorffennol? Gwir gamp yr arwr – yr hyn sydd yn cynnig anfarwoldeb iddo – yw ei allu i apelio at ddyheadau gwahanol gymdeithasau a chenedlaethau. Dyna ran o orchest Owain. William Shakespeare oedd un o'r rhai cyntaf i sylweddoli hynny. Ef yn anad neb arall fu'n gyfrifol am greu delwedd newydd o Owain ar gyfer y Saeson. Gwnaeth hynny yn ei ffordd ddihafal ei hun yn ei ddrama *Henry IV*. Nid dihiryn dinistriol a theyrnfradwr oedd Owain i Shakespeare fel y bu i gynifer o Saeson cyn hynny. Gwir fod Owain Shakespeare yn greadur ymffrostgar, pigog a hunandybus, ond mae ochr arall i'w gymeriad hefyd. Nid yn unig yr oedd yn ŵr deallus a dewr ond roedd hefyd yn ŵr o weledigaeth ac argyhoeddiad. Mewn gair, sylweddolodd Shakespeare fod deunydd arwr cenedlaethol yn Owain, fel yr oedd, dyweder, yn Harri V i'r Saeson. O gofio'r dylanwad enfawr a gafodd William Shakespeare ar feddylfryd y Sais dros y canrifoedd, hawdd deall arwyddocâd y portread hwn o Owain i'r modd y datblygodd y cof amdano. Hyd yn oed i'r Saeson bellach roedd Owain yn ŵr cofiadwy ac yn ŵr i'w barchu.

A beth am y cof am Owain ymhlith y Cymry? Gwelsom eisoes fod straeon a chwedlau am Owain wedi eu trysori ar gof gwlad ymhob rhan o Gymru ar draws y cenedlaethau. Ond, ar y cyfan, bratiog a digyswllt oedd y chwedlau hyn. Anodd oedd gweu hanes cydlynol o'r briwsion chwedlau ac anos fyth oedd trawsnewid y ddelfryd o Owain y chwedlau – gŵr ystrywgar ac eofn a thipyn o ddewin – yn arwr cenedlaethol a oedd yn meddu ar freuddwyd am Gymru newydd. Un gŵr yn benodol a fu'n fwy cyfrifol na neb am gyflwyno darlun credadwy o

Owain a'i ryfel a thrwy hynny osod seiliau'r ddelfryd fodern o Owain fel arwr cenedlaethol. Y gŵr hwnnw oedd Thomas Pennant (1726–95). Un o wir gewri amryddawn ei oes oedd Pennant – gwyddonydd, naturiaethwr, teithiwr heb ei ail. Yn ei deithlyfr am Gymru – *Tours in Wales (1778–87)* – cynhwysodd ddarlun gofalus, flwyddyn fesul blwyddyn, o ryfel Glyn Dŵr. Am y tro cyntaf adroddwyd stori'r rhyfel yn gyflawn a chydlynol. Aeth Pennant i'r drafferth nid yn unig i ddarllen y croniclau Seisnig ond hefyd i dynnu ar y farddoniaeth Gymraeg am Owain ac ar lythyrau swyddogol yn archifau Lloegr. Roedd cig a gwaed hanesyddol, megis, yn cael eu hychwanegu at esgyrn sychion y chwedlau am Owain. Ond yn fwy na hynny roedd Thomas Pennant yn Gymro twymgalon; iddo ef arwr i'w edmygu oedd Owain: 'our chieftain… unsubdued,' fel y galwodd ef. Roedd Owain Glyn Dŵr, arwr cenedlaethol Cymru ar ei newydd wedd, yn cael ei eni.

Ond cymerodd yn agos i ganrif i'r plentyn hwnnw ddod i'w lawn dwf. Cafodd help o ddau gyfeiriad. Yn ystod y bedwaredd ganrif ar bymtheg cyhoeddwyd swmp o ddogfennau hanesyddol a daflai oleuni llachar o'r newydd ar hanes Owain a'i ryfel. Yn eu plith yr oedd llythyrau brenhinoedd Lloegr a chofnodion eu Cyfrin Gyngor, a hefyd gronicl Adda o Frynbuga (Adam of Usk), un o gyfoeswyr Owain a fu'n cynllwynio, mae'n fwy na thebyg, ar ei ran. Ond y ffynhonnell bwysicaf o bell ffordd oedd llythyrau Owain ei hun at frenin Ffrainc, llythyrau a gadwyd ym Mharis. Am y tro cyntaf gellid gweld fel yr oedd Owain wedi breuddwydio am dywysogaeth annibynnol Gymreig gyda'i heglwys a'i phrifysgolion ei hun. Nid Owain y milwr dewr na'r arweinydd mentrus oedd yng nghanol y darlun bellach, ond Owain y gwladweinydd a'r breuddwydiwr mawr. Dyma'n wir ŵr a haeddai ei le fel arwr y Gymru newydd.

Ni allai'r amseru fod yn well. Amlinellwyd y darlun newydd o Owain fel arweinydd cenedlaethol ar yr union adeg yr oedd Cymru'n adennill ei hyder fel gwlad ac yn pwysleisio ei harwahanrwydd fel cenedl. Dyma oes Cymru Fydd, oes sefydlu prifysgol genedlaethol, amgueddfa genedlaethol a llyfrgell genedlaethol. Dyma genhedlaeth a oedd yn ymfalchïo o'r newydd yn hanes cenedl y Cymry ac yn brysur yn dyfeisio identiti newydd ar ei chyfer. Pwy'n well i fod yn arwr i'r Gymru newydd, obeithiol hon nag Owain Glyn Dŵr? Cafodd Owain ei le yn oriel arweinwyr y cenhedloedd pan gyfrannodd A G Bradley gyfrol amdano i'r gyfres *The Heroes of the Nation* ym 1901. Ym 1916 cafodd Owain le anrhydeddus yn yr oriel newydd a agorwyd yn Neuadd y Ddinas yng Nghaerdydd: ef oedd un o'r un gwron ar ddeg o Gymry a anrhydeddwyd mewn cerflun o farmor gwyn ac ef, ar lawer ystyr, oedd yr enwocaf o'i criw. Cwblhawyd y broses o ganonciddio cenedlaethol yn y cyfnod 1919–31. Yn y flwyddyn 1919 traddododd Syr John Lloyd, arloeswr hanes Cymru fel pwnc academaidd, gyfres o ddarlithiau ar Owain yn Rhydychen. Dyma Owain bellach wedi cyrraedd canolfan y byd academaidd Seisnig. Cyhoeddodd Syr John y darlithiau ym 1931 a'i gyfrol ef, hyd heddiw, yw'r bywgraffiad safonol o Owain Glyn Dŵr. Ysgolhaig gofalus oedd Syr John Lloyd ond, wrth gloi ei lyfr, yr oedd ei farn am arwyddocâd Owain yn gwbl glir: 'He may,' meddai, 'with propriety be called the father of modern Welsh nationalism'.

'Tad cenedlaetholdeb y Gymru fodern.' Dyna felly oedd Owain bellach, nawdd-sant seciwlar y Gymru hunan-hyderus, newydd; gŵr yr oedd ei weledigaeth fawr yn awr o fewn cyrraedd i gael ei gwireddu. Roedd Owain wedi symud gyda'r amserau. O fod yn arwr lleol cefn gwlad a thestun chwedlau rhyfeddol fe'i trawsnewidiwyd yn wladweinydd o fri ac yn broffwyd a anwyd ganrifoedd o flaen ei amser. Dyna wir gamp yr arwr: mae'n drech nag amser; mae ei apêl yn oesol, oherwydd gellir addasu'r apêl honno i gyfateb i anghenion gwahanol gyfnodau. Cyfrinach y gwir arwr yw ei fod yn codi uwchlaw ei gyfnod ei hun, a'i fod, mewn gair, yn draws-oesol yn hytrach nag yn hanesyddol yn unig. Dyna orchest Owain Glyn Dŵr; daeth yn symbol o freuddwyd y Cymry, y gobaith yn nwfn eu calon y gallent ennill ryw ddydd yr hawl i fyw mewn gwlad annibynnol yn ei llywodraethu ei hun. Felly, yn y pen draw, drych yw hanes Owain Glyn Dŵr ar draws y canrifoedd o ddyheadau'r Cymry eu hunain. Cyn belled ag y pery'r dyheadau hynny fe bery'r cof am Owain; unwaith yr edwinant fe lyncir symbylydd y dyheadau hynny yn ôl i grombil hanes, yn berson marw.

Glyndŵr's First Victory
The Battle of Hyddgen 1401

Ian Fleming

y Lolfa

£6.95
Argraffiad Newydd

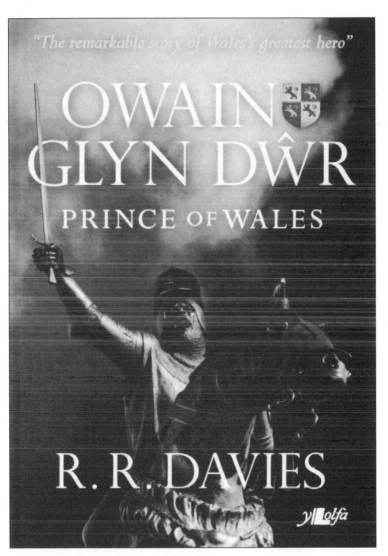

"The remarkable story of Wales's greatest hero"

OWAIN GLYN DŴR

PRINCE OF WALES

R. R. DAVIES

y Lolfa

£5.95

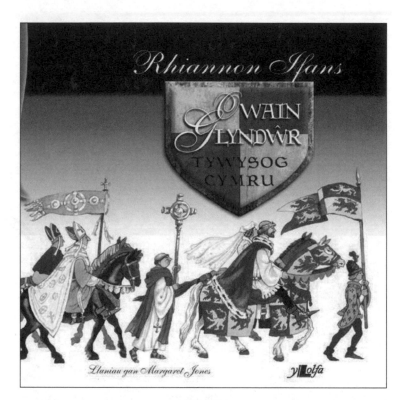

£6.95

£2 am waled o 5

£1 (am ddalen o 20)

Am restr gyflawn o lyfrau'r Lolfa, mynnwch
gopi o'n catalog newydd, rhad
neu hwyliwch i mewn i'n gwefan

www.ylolfa.com

lle gallwch archebu llyfrau ar lein.

*y**L**olfa*

TALYBONT CEREDIGION CYMRU SY24 5HE
ebost ylolfa@ylolfa.com
gwefan www.ylolfa.com
ffôn 01970 832 304
ffacs 832 782